hablemos en ESPAÑOL

primer libro

SPANISH TEXT 1

hablemos en ESPAÑOL

primer libro

SPANISH TEXT 1

MARIANO GARCIA

illustrated by Katherine Kahn

© 1971 by Institute of Modern Languages
All rights reserved

No part of this book may be reproduced or transmitted in any form or by any means, electronic or mechanical, including, but not limited to, photocopy, mimeograph, recording, or by any information or retrieval system, without the express written permission of the Institute of Modern Languages.

Published by
Institute of Modern Languages
Publishers in the languages of the world
2622-24 Pittman Drive
Silver Spring, Maryland 20910

Printed in the United States of America
ISBN 0-88499-105-9

PARA EL MAESTRO

HABLEMOS EN ESPAÑOL va dirigido a las personas que comienzan a estudiar por primera vez la lengua española. Este libro está preparado para el estudiante que quiere dominar, en lo más esencial, las formas del español y a la vez adquirir un vocabulario fundamental. Enfatizamos en lo que debe hacer y en cuanto le interesa al turista al llegar a un país de habla hispana. Esto ayudará a quienes piensan viajar en asuntos de negocios, en viaje de placer o con fines educativos, y a quienes buscan mayor formación cultural y desean tener un conocimiento básico del español.

HABLEMOS EN ESPAÑOL contiene veinte lecciones. Cada lección está dividida en cuatro secciones:

La Sección I cubre los ejercicios de conversación que el estudiante ha de aprender para poder contestar a preguntas básicas informativas sobre nombre, dirección, números, hora y tiempo.

Sección II. La mayor parte de las estructuras básicas están introducidas en esta sección. Se solicita del estudiante a que actúe, conteste y pregunte, mediante actividades en la clase. Para ello, el maestro se vale de objetos a la mano, de acciones y relaciones, fáciles de comprender para el estudiante, como instrumentos del maestro.

En la **Sección III**, los ejercicios de conversación están basados en las ilustraciones de las páginas correspondientes. Estos ejercicios afianzan las formas de expresión ya estudiadas, añadiendo, a la par, nuevo y útil vocabulario para quienes piensen viajar a los países hispanos.

La **Sección IV** contiene una lectura en la que se incluye nuevo léxico, y la repetición de expresiones y formas ya estudiadas. A la lectura le sigue una serie de preguntas que tienen una doble finalidad: que el estudiante entienda la lectura y pueda expresarse en otras nuevas formas de dicción. Finalmente incluimos nueva serie de preguntas que llamamos **Conversación Práctica**, con el fin de que el estudiante, con lo que ya sabe, pueda formular por sí mismo nuevas respuestas, relacionadas con su propio ambiente, con sus experiencias y con sus opiniones.

Intentamos, solamente, sugerirle algunas preguntas para estimular la conversación. No intentamos ni agotar ni limitar los temas de conversación.

Ud., como maestro, debe *adaptar* el contenido de **HABLEMOS EN ESPAÑOL** a las circunstancias particulares de sus clases, *ampliar* los ejercicios de conversación siempre que fuere necesario, *y añadir* nuevas formas de dicción. Encontrará, al margen, ciertas variantes para facilitarle nuevo léxico, y notas para el maestro que le abrirán nuevos campos de posibilidades en cada lección.

Debe explicar las **notas estructurales**, solamente cuando éstas sean necesarias para futuros ejercicios de conversación. El **resumen gramatical**, al final del libro, tiene como propósito servir de *referencia* para el estudiante. Así mismo incluímos en **HABLEMOS EN ESPAÑOL**, un apéndice de **Expresiones y Preguntas útiles para Viajeros**, y un **Vocabulario** con el mismo fin de referencia.

TO THE STUDENT

HABLEMOS EN ESPAÑOL has been written in order to prepare you to communicate effectively in Spanish as a tourist, businessman or student. You are not expected to become a Spanish grammarian, but rather a confident speaker, able to use Spanish with relative ease in social and working situations.

HABLEMOS EN ESPAÑOL is essentially action and content oriented. Much of the action will take place in the classroom. You will be asked to do certain things and then talk about what you or your classmates are doing, have done or are about to do. You may be asked to describe something in the classroom or the relation of objects in the room. The actions performed or things described in the classroom are always directly related to the content of the lesson. It is hoped that you will quickly associate classroom activity with action that takes place elsewhere—at the local café, grocery store, train station, etc.

The division of each lesson into four parts is designed to help you make these associations, to help you think of what you did in class as related to everyday situations you will encounter as a visitor in Spanish-speaking countries.

Part I includes conversational patterns which will teach you how to tell your name and address, how to ask for the time or directions, how to buy clothing, etc.

Part II includes classroom activities which will lead you to an understanding of the basic structures of the Spanish language.

In **Part III** of each lesson you will be referred to pictures which can be found in the separate illustration section (pages 117-136). Talking about these pictures will reinforce the structures you have just learned and will give you useful new vocabulary that will take you outside the classroom.

Part IV contains a brief reading selection designed to further your comprehension of Spanish and to give you a chance to express yourself freely on a variety of subjects.

At the end of the book you will find a grammatical summary, a section entitled **Expresiones y Preguntas útiles para Viajeros** which includes useful expressions and questions for the foreigner abroad, and a section entitled **Vocabulario**. All are intended as references to be used when and how you see fit.

CONTENIDO

LECCION PRIMERA

Sección I

Ejercicios de Conversación

Ayuda visual: Mapa mundial

1. ¿Cómo se llama Ud.?
   Me llamo ... .

2. ¿Cómo se llama él?
   Se llama ... .

3. ¿Cómo se llama ella?
   Se llama ... .

4. ¿De dónde es Ud.?
   Soy de ... (nación).

5. ¿De dónde es él?
   Es de ... .

6. ¿De dónde es ella?
   Es de ... .

Conversación Continuada

¿Cómo se llama Ud.?
Me llamo ... .
¿Cómo se llama él?
Se llama ... .
¿Cómo se llama ella?
Se llama ... .
¿De dónde es Ud.?
Soy de ... (nación).
¿De dónde es él?
Es de ... .
¿De dónde es ella?
Es de ... .

Sección II

Ejercicios de Conversación

Coloque tres libros en posiciones propias de acuerdo a su posición.

1. ¿Qué es esto?
   Es un libro. lápiz/cuaderno/bolso/bolígrafo

2. ¿De quién es este libro?
   Es mío.

3. ¿Qué es eso?
   Es un libro.

4. ¿De quién es ese libro?
   Es mío.

5. ¿Qué es aquello?
   Es un libro.

6. ¿De quién es aquel libro?
   Es mío.

Conversación Continuada

¿Qué es esto?
Es un libro.
¿De quién es este libro?
Es mío.
¿Qué es eso?
Es un libro.
¿De quién es ese libro?
Es mío.
¿Qué es aquello?
Es un libro.
¿De quién es aquel libro?
Es mío.

Siga practicando con: cuaderno/lápiz

Ejercicios de Conversación

1. ¿Qué es esto?
   Es una pluma.

2. ¿De quién es esta pluma?
   Es mía.

3. ¿Qué es eso?
   Es una pluma.

4. ¿De quién es esa pluma?
   Es mía.

5. ¿Qué es aquello?
   Es una pluma.

6. ¿De quién es aquella pluma?
   Es mía.

Nota Estructural

Neutro	Masculino	Femenino
Esto	Este	Esta
Eso	Ese	Esa
Aquello	Aquel	Aquella

Conversación Continuada

¿Qué es esto?
Es una pluma.
¿De quién es esta pluma?
Es mía.
¿Qué es eso?
Es una pluma.
¿De quién es esa pluma?
Es mía.
¿Qué es aquello?
Es una pluma.
¿De quién es aquella pluma?
Es mía.

Siga practicando con: billetera/goma de borrar

Ejercicios de Conversación

1. ¿Este cuaderno es de Ud.?
   Sí, es mío.

2. ¿Este cuaderno es de él? — ella
No, no es suyo.

3. ¿Dónde está su cuaderno?
Mi cuaderno está aquí.

4. ¿Esta pluma es de Ud.?
Sí, es mía.

5. ¿Esta pluma es de él? — ella
No, no es suya.

6. ¿Dónde está su pluma?
Mi pluma está aquí.

Nota estructural

Mi Nuestro
Tu
Su Sus

Masculino	Femenino
es mi libro - es mío	es mi pluma - es mía
es su libro - es suyo	es su pluma - es suya
es el libro de Ud.	es la pluma de Ud.
es el libro de él	es la pluma de él
es el libro de ella	es la pluma de ella

Conversación Continuada

¿Este cuaderno es de Ud.?
Sí, es mío.
¿Este cuaderno es de él?
No, no es suyo.
¿Dónde está su cuaderno?
Mi cuaderno está aquí.

¿Esta pluma es de Ud.?
Sí, es mía.
¿Esta pluma es de él?
No, no es suya.
¿Dónde está su pluma?
Mi pluma está aquí.

Sección III

Ejercicios de Conversación

Vea las ilustraciones en la página 118

1. ¿Qué es esto?
   Es un pasaporte.

2. ¿De quién es el pasaporte?
   Es del Sr. Ramírez.

3. ¿De dónde es el Sr. Ramírez?
   Es del Uruguay.

4. Y este pasaporte, ¿de quién es?
   Es de la Sra. de Martínez.

5. ¿De dónde es ella?
   Es del Perú.

Conversación Continuada

¿Qué es esto?
Es un pasaporte.
¿De quién es el pasaporte?
Es del Sr. Ramírez.
¿De dónde es el Sr. Ramírez?
Es del Uruguay.
Y este pasaporte, ¿de quién es?
Es de la Sra. de Martínez.
¿De dónde es ella?
Es del Perú.

Sección IV

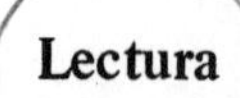

Lectura

Este es un grupo de turistas en un museo de pintura. El intérprete es el Sr. Bello; él es de Venezuela. El señor es de los Estados Unidos y se llama Sr. Smith. La señora es de Canadá y se llama Sra. Gray. En el grupo hay también un joven y una joven. El joven se llama John; él es de Australia. La joven es la Srta. Mary; ella es de Inglaterra. En la pared hay un cuadro muy grande.

Preguntas

1. ¿Qué grupo es éste?
2. ¿Dónde están?

3. ¿Cómo se llama el intérprete?
4. ¿De dónde es el intérprete?
5. ¿De dónde es el señor?
6. ¿Cómo se llama?
7. ¿De dónde es la señora?
8. ¿Cómo se llama?
9. ¿Quién más hay en el grupo?
10 ¿Cómo se llama el joven?
11. ¿De dónde es el joven?
12. ¿Cómo se llama la joven?
13. ¿De dónde es la joven?
14. ¿Qué hay en la pared?

LECCION DOS

Sección I

Ejercicios de Conversación

Ayuda visual: Mapa mundial

1. ¿De dónde es Ud.?
   Soy de ... (nación).

2. ¿De qué ciudad es Ud.?
   Soy de ... (ciudad).

3. ¿Dónde queda ... (ciudad)?
   Queda en el estado de ... . — norte/sur/este oeste de ...

4. ¿De dónde es él?
   Es de ... (nación). — ella

5. ¿De qué ciudad es él?
   Es de ... . — ella

6. ¿Dónde queda...?
   Queda en el estado de ... .

Conversación Continuada

¿De dónde es Ud.?
Soy de ... (nación).
¿De qué ciudad es Ud.?
Soy de ... (ciudad).
¿Dónde queda...?
Queda en el estado de ... .
¿De dónde es él?
Es de ... (nación).
¿De qué ciudad es él?
Es de ... .

¿Dónde queda...?
Queda en el estado de ... .

Sección II

Ejercicios de Conversación

1.	¿Qué es esto? Es un lápiz.	 bolso
2.	¿De quién es el lápiz? Es mío.	 suyo de ella de la Srta.
3.	¿Dónde está el lápiz? Está en la mesa.	 silla
4.	¿Está en el suelo? No, está en la mesa.	 silla
5.	Tome el lápiz. ¿Qué hizo Ud.? Tomé el lápiz.	bolso bolso
6.	¿Qué hizo él? Tomó el lápiz.	ella bolso
7.	Deje el lápiz en la mesa. ¿Qué hizo Ud.? Dejé el lápiz en la mesa.	bolso bolso
8.	¿Qué hizo él? Dejó el lápiz en la mesa.	ella bolso

Nota estructural

Infinitivo	Presente	Imperativo	Pretérito
tomar	$\text{tom}<^{o}_{a}$	tome (Ud.)	(yo) (él) $\text{tom}<^{\acute{e}}_{\acute{o}}$ (Ud., ella)
dejar	$\text{dej}<^{o}_{a}$	deje (Ud.)	(yo) (él) $\text{dej}<^{\acute{e}}_{\acute{o}}$ (Ud., ella)

Conversación Continuada

¿Qué es esto?
Es un lápiz.
¿De quién es el lápiz?
Es mío.
¿Dónde está el lápiz?
Está en la mesa.
¿Está en el suelo?
No, está en la mesa.
Tome el lápiz.
¿Qué hizo Ud.?
Tomé el lápiz.
¿Qué hizo él?
Tomó el lápiz.
Deje el lápiz en la mesa.
¿Qué hizo Ud.?
Dejé el lápiz en la mesa.
¿Qué hizo él?
Dejó el lápiz en la mesa.

Ejercicios de Conversación

1. ¿Es éste su libro?
   Sí, éste es mi libro.

2. ¿Dónde está el libro?
   Está en la mesa.

3. Abra el libro.
   ¿Qué hizo Ud.?
   Abrí el libro.

4. ¿Qué hizo él? — ella
   Abrió el libro.

5. Cierre el libro.
   ¿Qué hizo Ud.?
   Cerré el libro.

6. ¿Qué hizo él? — ella
   Cerró el libro.

Nota estructural

Infinitivo	Presente	Imperativo	Pretérito
hacer	hago hace	haga	(yo) hice (Ud., él, ella) hizo
abrir	$\text{abr}<^{o}_{e}$	abra	(yo) (Ud., él, ella) $\text{abr}<^{í}_{ió}$
cerrar	$\text{cierr}<^{o}_{a}$	cierre	(yo) (Ud., él, ella) $\text{cerr}<^{é}_{ó}$

Conversación Continuada

¿Es éste su libro?
Sí, es mi libro.
¿Dónde está el libro?
Está en la mesa.
Abra el libro.
¿Qué hizo Ud.?
Abrí el libro.
¿Qué hizo él?
Abrió el libro.
Cierre el libro.
¿Qué hizo Ud.?
Cerré el libro.
¿Qué hizo él?
Cerró el libro.

Sección III

Ejercicios de Conversación

Vea las ilustraciones en la página 119

1. ¿Qué hay en este cuadro?
   Hay una maleta.

2. ¿Es del Sr. Rodríguez?
   No, es del Sr. González.

3. ¿Es ésto una maleta?
   No, es un boleto de avión.

4. ¿De quién es?
   Es de la Sra. de Pérez.

5. ¿Es ésto un libro de español?
   No, es un libro de Cheques de Viajeros.

6. ¿De quién es?
   Es de la Sra. de Pérez.

Conversación Continuada

¿Qué hay en este cuadro?
Hay una maleta.
¿Es del Sr. Rodríguez?
No, es del Sr. González.
¿Es ésto una maleta?
No, es un boleto de avión.
¿De quién es el boleto de avión?
Es de la Sra. de Pérez.
¿Es ésto un libro de español?
No, es un libro de Cheques de Viajeros.
¿De quién es?
Es de la Sra. de Pérez.

Sección IV

Lectura

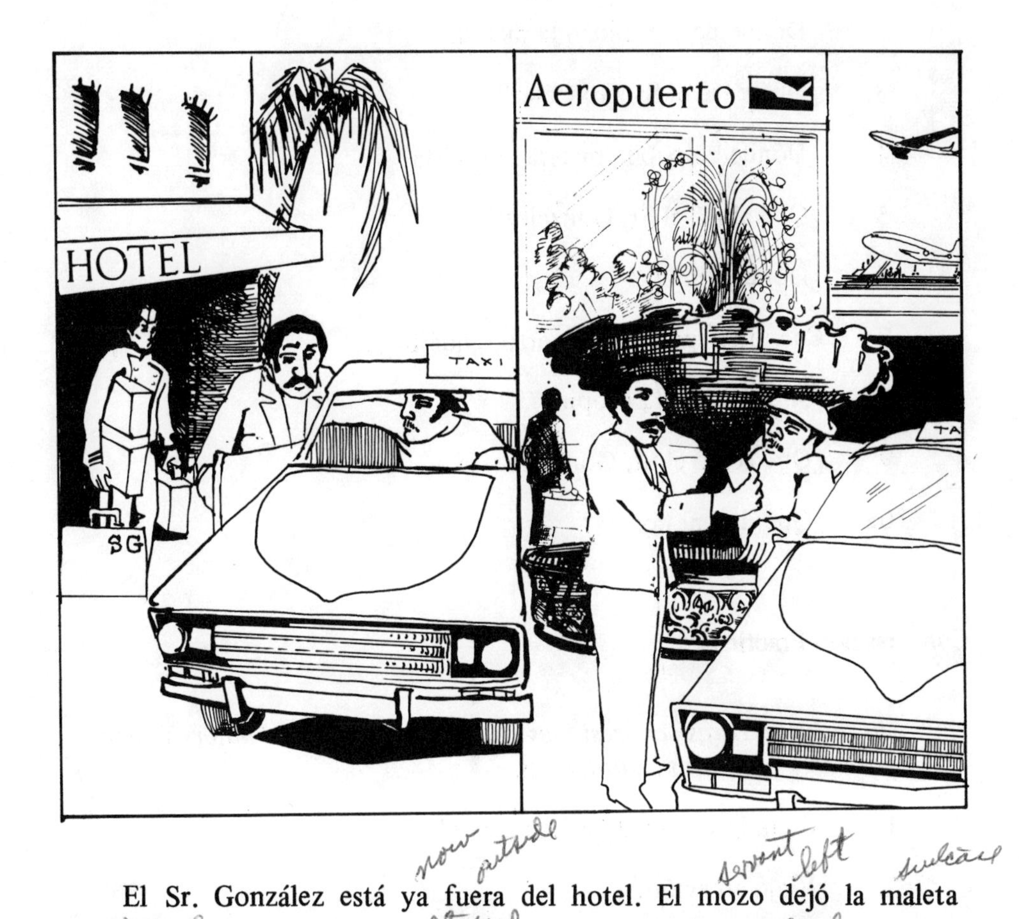

El Sr. González está ya fuera del hotel. El mozo dejó la maleta en la acera. El Sr. González paró un taxi y el taxista colocó la maleta dentro del coche. El Sr. González abrió la puerta y montó en el taxi. Cuando llegó al aeropuerto pagó la tarifa y dio la propina al taxista. Cerró la puerta del coche y dijo al taxista: "Adiós y muchas gracias."

Preguntas

1. ¿Dónde está ya el Sr. González?
2. ¿Dónde dejó el mozo la maleta?
3. ¿Qué paró el Sr. González?
4. ¿Dónde colocó la maleta el taxista?
5. ¿Qué abrió el Sr. González?
6. ¿Dónde montó?
7. Cuando llegó al aeropuerto, ¿qué pagó?
8. ¿A quién dio la propina?
9. ¿Qué cerró el Sr. González?
10. ¿Qué dijo al taxista?

Conversación Práctica

Use estas u otras expresiones semejantes para estimular la conversación entre los estudiantes.

1. ¿Cuándo viajó Ud. la última vez?
2. ¿Viajó en avión?
3. ¿Viajó solo o con otras personas?
4. ¿Esperó mucho tiempo en el aeropuerto?

LECCION TRES

Sección I

Ejercicios de Conversación

Escriba los números en el pizarrón.

1 – Uno	11 – Once
2 – Dos	12 – Doce
3 – Tres	13 – Trece
4 – Cuatro	14 – Catorce
5 – Cinco	15 – Quince
6 – Seis	16 – Dieciséis
7 – Siete	17 – Diecisiete
8 – Ocho	18 – Dieciocho
9 – Nueve	19 – Diecinueve
10 – Diez	20 – Veinte

1. ¿Qué número es éste?
   Es el número... .

2. ¿Cuántos son 6 + 3?
   Son 9.

3. ¿Cuántos son 8 – 3?
   Son 5.

4. ¿Cuántos son 5 X 2?
   Son 10.

Sección II

Ejercicios de Conversación

Entregue una tiza a un estudiante.

1. ¿Qué tiene Ud. en la mano?
   Tengo una tiza.

2. Vaya al pizarrón.
   ¿Adónde fue él? — ella
   Fue al pizarrón.

3. Escriba el número 17.
   ¿Qué número escribió Ud.?
   Escribí el número 17.

4. ¿Qué número escribió él? — ella
   Escribió el número... .

Nota estructural

Infinitivo	Imperativo	Pretérito	
ir	(Ud.) vaya	(yo) (Ud., él, ella)	fui fue
venir	(Ud.) venga	(yo) (Ud., él, ella)	vine vino

Conversación Continuada

¿Qué tiene Ud. en la mano?
Tengo una tiza.
Vaya al pizarrón.
¿Adónde fue él?
Fue al pizarrón
Escriba el número ... .
¿Qué número escribió Ud.?
Escribí el número ... .
¿Qué número escribió él?
Escribió el número ... .

Ejercicios de Conversación

1. ¿Cuántas mesas hay en la clase? — puertas/ventanas/sillas/tizas
   Hay ... (una).

2. ¿Cuántos pizarrones hay en la clase?
   Hay uno.

3. ¿Cuántos lápices hay en la clase? — libros/cuadernos/bolígrafos/bolsos/mapas
   Hay ... .

4. ¿Cuántas televisiones hay en la clase? — cocinas/grabadoras/pinturas
   No hay ninguna.

5. ¿Cuántos coches hay en la clase? — refrigeradores
   No hay ninguno.

Nota estructural

Infinitivo	Presente
haber	hay (impersonal)

Conversación Continuada

¿Cuántas mesas hay en la clase?
Hay una.
¿Cuántos pizarrones hay en la clase?
Hay uno.
¿Cuántos lápices hay en la clase?
Hay ... .
¿Cuántas televisiones hay en la clase?
No hay ninguna.
¿Cuántos coches hay en la clase?
No hay ninguno.

Ejercicios de Conversación

Si las puertas de las clases no tienen número, dibuje en el pizarrón tres puertas con números.

1. Venga acá.
   ¿Qué hizo Ud.?
   Vine acá.

2. ¿Qué número tiene esta puerta
   Tiene el número ... .

3. ¿Qué número tiene esa puerta?
   Tiene el número ... .

4. ¿Qué número tiene aquella puerta?
   Tiene el número ... .

5. Vuelva a su puesto.
   ¿Qué hizo Ud.?
   Volví a mi puesto.

6. ¿Qué hizo él? ella
   Volvió a su puesto.

Conversación Continuada

Venga acá.
¿Qué hizo Ud.?
Vine acá.
¿Qué número tiene esta puerta?
Tiene el número ... .
¿Qué número tiene esa puerta?
Tiene el número ... .
¿Qué número tiene aquella puerta?
Tiene el número ... .
Vuelva a su puesto.
¿Qué hizo Ud.?
Volví a mi puesto.
¿Qué hizo él?
Volvió a su puesto.

Sección III

Ejercicios de Conversación

Vea las ilustraciones en la página 120

1. ¿Es ésto un billete?
   No, es una moneda.

2. ¿De cuánto es esta moneda?
   Es de diez centavos.

3. ¿Tiene él un billete?
   Sí, tiene uno.

4. ¿De cuánto es el billete?
   El billete es de 5 dólares.

5. ¿Cuánto cuesta el periódico?
   El periódico cuesta 10 centavos.

Conversación Continuada

¿Es ésto un billete?
No, es una moneda.
¿De cuánto es esta moneda?
Es de 10 centavos.
¿Tiene él un billete?
Sí, tiene uno.
¿De cuánto es el billete?
El billete es de 5 dólares.
¿Cuánto cuesta el periódico?
El periódico cuesta 10 centavos.

Sección IV

Lectura

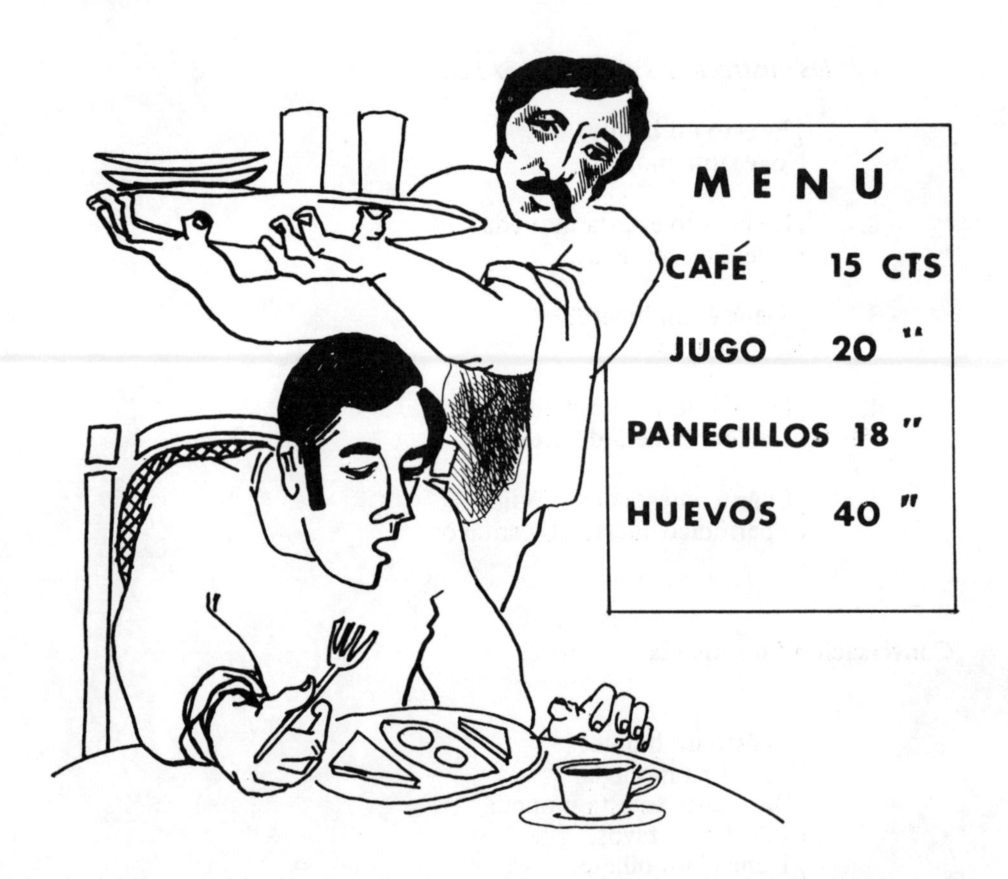

El Sr. Rodríguez entró en un restaurante y miró el menú. El café cuesta 15 centavos; el jugo de naranja 20 centavos; los panecillos 18 centavos. Compró el periódico, unos cigarrillos y una revista. El Sr. Rodríguez tomó huevos fritos, tostadas y una taza de café. Dejó la propina al camarero, pagó la cuenta y salió del restaurante.

Preguntas

1. ¿Dónde entró el Sr. Rodríguez?
2. ¿Qué miró?

3. ¿Cuánto cuesta el café en el restaurante?
4. ¿Cuánto cuesta el jugo de naranja?
5. ¿Cuánto cuestan los panecillos?
6. ¿Qué tomó el Sr. Rodríguez?
7. ¿Qué dejó para el camarero?
8. ¿Qué hizo después?

Conversación Práctica

Use estas u otras expresiones semejantes para estimular la conversación entre los estudiantes.

1. ¿Tomó Ud. hoy el desayuno en su casa?
2. ¿Tomó café en el desayuno?
3. ¿Tomó el café negro o con leche?
4. ¿Tomó Ud. jugo hoy?
5. ¿Cuántas veces tomó Ud. café hoy?

LECCION CUATRO

Sección I

21 – Veintiuno	70 – Setenta
22 – Veintidós	80 – Ochenta
23 – Veintitrés	90 – Noventa
24 – Veinticuatro	100 – Cien
30 – Treinta	101 – Ciento uno
31 – Treinta y uno	200 – Doscientos
32 – Treinta y dos	300 – Trescientos
40 – Cuarenta	400 – Cuatrocientos
41 – Cuarenta y uno	500 – Quinientos
42 – Cuarenta y dos	600 – Seiscientos
43 – Cuarenta y tres	700 – Setecientos
50 – Cincuenta	800 – Ochocientos
60 – Sesenta	900 – Novecientos
	1000 – Mil

Ejercicios de Conversación

Escriba algunos números en el pizarrón.

1. ¿Cuántos números hay en el pizarrón?
   Hay .... .

2. ¿Qué número es éste?
   Es el número .... .

3. ¿Qué número es mayor, 67 ó 99?
   Es mayor el número 99.

4. ¿Qué número es menor, 26 ó 77?
   Es menor el número 26.

Siga practicando con otros números.

Conversación Continuada

¿Cuántos números hay en el pizarrón?
Hay ... .
¿Qué número es éste?
Es el número ... .
¿Qué número es mayor, 67 ó 99?
Es mayor el número 99.
¿Qué número es menor, 26 ó 77?
Es menor el número 26.

Sección II

Ejercicios de Conversación

1. Abra el libro.
   ¿Qué hizo Ud.?
   Abrí el libro.

2. ¿Qué hizo él? — ella
   Abrió el libro.

3. ¿En qué página abrió Ud. el libro?
   Lo abrí en la página ... .

4. ¿En qué página abrió él el libro?
   Lo abrió en la página ... .

5. ¿El libro está abierto o cerrado?
   Está abierto.

6. Cierre el libro.
   ¿Qué hizo Ud.?
   Cerré el libro.

7. ¿Qué hizo él? — ella
   Cerró el libro.

8. ¿El libro está abierto o cerrado?
   Está cerrado.

Conversación Continuada

Abra el libro.
¿Qué hizo Ud.?
Abrí el libro.
¿Qué hizo él?
Abrió el libro.
¿En qué página abrió Ud. el libro?
Lo abrí en la página ... .
¿En qué página abrió él el libro?
Lo abrió en la página ... .
¿El libro está abierto o cerrado?
Está abierto.
Cierre el libro.
¿Qué hizo Ud.?
Cerré el libro.
¿Qué hizo él?
Cerró el libro.
¿El libro está abierto o cerrado?
Está cerrado.

Siga practicando con: cuaderno/periódico/folleto

Ejercicios de Conversación

1. ¿Aquello es una mesa?
   No, es una puerta.

2. ¿La puerta está abierta o cerrada?
   La puerta está cerrada.

3. Abra la puerta.
   ¿Qué abrió Ud.?
   Abrí la puerta.

4. ¿Qué abrió él? — ella
   Abrió la puerta.

5. ¿Abrió Ud. el cuaderno?
   No, no abrí el cuaderno.

6. ¿Abrió él el cuaderno? — ella
   No, no abrió el cuaderno.

7. ¿Cómo está la puerta ahora?
   La puerta está abierta.

Conversación Continuada

¿Aquello es una mesa?
No, es una puerta.
¿La puerta está cerrada o abierta?
La puerta está cerrada.
Abra la puerta.
¿Qué abrió Ud.?
Abrí la puerta.
¿Qué abrió él?
Abrió la puerta.
¿Abrió Ud. el cuaderno?
No, no abrí el cuaderno.
¿Abrió él el cuaderno?
No, no abrió el cuaderno.
¿Cómo está la puerta ahora?
La puerta está abierta.

Ejercicios de Conversación

1. ¿La puerta está abierta o cerrada?
   Está abierta.

2. Cierre la puerta.
   ¿Qué cerró Ud.?
   Cerré la puerta.

3. ¿Qué cerró él?
   Cerró la puerta.

4. ¿Cerró él la ventana?
   No, no cerró la ventana.

5. ¿Cerró Ud. la ventana?
   No, no cerré la ventana.

6. ¿Cómo está la puerta ahora?
   La puerta está cerrada.

Conversación Continuada

¿La puerta está abierta o cerrada?
Está abierta.
Cierre la puerta.
¿Qué cerró Ud.?

Cerré la puerta.
¿Qué cerró él?
Cerró la puerta.
¿Cerró él la ventana?
No, no cerró la ventana.
¿Cerró Ud. la ventana?
No, no cerré la ventana.
¿Cómo está la puerta ahora?
La puerta está cerrada.

Siga practicando con: billetera/paraguas/ventana

Sección III

Ejercicios de Conversación

Vea las ilustraciones en la página 121

1. ¿Quién es este señor?
   Es el Sr. Ramírez.

2. ¿Dónde está?
   Está en el banco.

3. ¿Qué está haciendo?
   Está cambiando dinero.

4. ¿Qué necesita?
   Necesita dólares.

5. ¿A cómo está el cambio?
   Un dólar es igual a 4,50 bolívares.

Conversación Continuada

¿Quién es él?
Es el Sr. Ramírez.
¿Dónde está?
Está en el banco.
¿Qué necesita?
Necesita dólares.
¿Qué está haciendo?
Está cambiando dinero.
¿A cómo está el cambio?
Un dólar es igual a 4,50 bolívares.

Sección IV

Lectura

El Sr. González vive en Caracas, Venezuela. Su dirección es: Calle Colón Nro. 27. Tiene una casa muy buena. La casa tiene: sala, comedor, cocina, baño y cuatro dormitorios. La sala tiene un sofá, dos butacas, una mesa pequeña y dos lámparas muy bonitas. La familia González tiene cuatro hijos: dos hijos y dos hijas. Una de las hijas se llama María y la otra Juana. María tiene 21 años y Juana 19. Los hijos se llaman Pedro y Santiago. Pedro tiene 17 años y Santiago 15. María es la mayor y Santiago es el menor.

Preguntas

1. ¿Dónde vive el Sr. González?
2. ¿Cuál es su dirección?
3. ¿Cómo es la casa?
4. ¿Qué tiene la casa?
5. ¿Qué hay en la sala?
6. ¿Cuántos hijos tiene el Sr. González?
7. ¿Cuántas hijas tiene?
8. ¿Cuántos hijos tiene?
9. ¿Cómo se llaman las hijas?
10. ¿Cómo se llaman los hijos?
11. ¿Quién es el mayor y quién es el menor?

Conversación Práctica

Use estas u otras expresiones semejantes para estimular la conversación entre los estudiantes.

1. ¿Dónde vive Ud.?
2. ¿Cuál es su dirección?
3. ¿Vive en una casa o en un apartamento?
4. ¿Tiene Ud. hijos?
5. ¿Cuántos hijos tiene Ud.?
6. ¿Cómo se llaman?
7. ¿Qué edad tienen?
8. ¿Cuántos cuartos tiene su casa?

LECCION CINCO

Sección I

Ejercicios de Conversación

1.	¿Cuál es su profesión? Soy ... (maestro).	
2.	¿Qué es él? Es ... (mecánico).	ella enfermera
3.	¿Dónde estudió Ud.? Estudié en ... (escuela, universidad).	
4.	¿Dónde estudió él? Estudió en	ella
5.	¿Cuántos años estudió Ud.? Estudié ... años.	ella
6.	¿Cuántos años estudió él? Estudió ... años.	

Conversación Continuada

¿Cuál es su profesión?
Soy ... .
¿Qué es él?
Es ... .
¿Dónde estudió Ud.?
Estudió en ... .
¿Dónde estudió él?
Estudió en ... .
¿Cuántos años estudió Ud.?
Estudié ... años.
¿Cuántos años estudió él?
Estudió ... años.

Sección II

Ejercicios de Conversación

1. ¿Para qué es la silla?
   Es para sentarse. sitting (reflexive verb)

2. ¿Está Ud. sentado o de pie?
   Estoy sentado en la silla.

3. Levántese, por favor. (Command) (reflexive verb) (raise yourself)
   ¿Qué hizo Ud.?
   Me levanté de la silla.

4. ¿Qué hizo él? — ella
   Se levantó de la silla.

5. ¿Está Ud. sentado o de pie?
   Estoy de pie.

6. Siéntese, por favor.
   ¿Qué hizo Ud.?
   Me senté.

7. ¿Qué hizo él? — ella
   Se sentó.

Conversación Continuada

¿Para qué es la silla?
Es para sentarse.
¿Está Ud. sentado o de pie?
Estoy sentado en la silla.
Levántese, por favor.
¿Qué hizo Ud.?
Me levanté de la silla.
¿Qué hizo él?
Se levantó de la silla.
¿Está Ud. sentado o de pie?
Estoy de pie.
Siéntese, por favor.
¿Qué hizo Ud.?
Me senté.
¿Qué hizo él?
Se sentó.

Ejercicios de Conversación

1. ¿Qué hay en el suelo?
   Hay una silla. — un papel/cesto, paraguas/una tiza

2. Levante la silla.
   ¿Qué hizo Ud.?
   Levanté la silla.

3. ¿Qué hizo él? — ella
   Levantó la silla.

4. Traiga la silla acá.
   ¿Qué hizo Ud.?
   Traje la silla acá.

5. ¿Qué hizo él? — ella
   Trajo la silla acá.

6. Deje la silla y vuelva a su puesto.
   ¿Qué hizo Ud.?
   Dejé la silla y volví a mi puesto.

7. ¿Qué hizo él?
   Dejó la silla y volvió a su puesto.

Conversación Continuada

¿Qué hay en el suelo?
Hay una silla.
Levante la silla.
¿Qué hizo Ud.?
Levanté la silla.
¿Qué hizo él?
Levantó la silla.
Traiga la silla acá.
¿Qué hizo Ud.?
Traje la silla acá.
¿Qué hizo él?
Trajo la silla acá.
Deje la silla y vuelva a su puesto.
¿Qué hizo Ud.?
Dejé la silla y volví a mi puesto.
¿Qué hizo él?
Dejó la silla y volvió a su puesto.

Ejercicios de Conversación

1. Escriba su nombre y dirección en el pizarrón.
   ¿Qué está haciendo él? — ella
   Está escribiendo su nombre y dirección en el pizarrón.

2. Espere un momento.
   ¿Ha escrito Ud. ya toda la dirección?
   No, todavía no he terminado.

3. ¿Ha escrito él ya toda la dirección? — ella
   No, todavía no ha terminado.

4. Termine, por favor.
   ¿Ha terminado Ud. ya?
   Sí, ya he terminado.

5. ¿Ha terminado él ya? — ella
   Sí, ya ha terminado.

6. ¿Qué escribió Ud. en el pizarrón?
   Escribí mi nombre y dirección.

7. ¿Qué escribió él en el pizarrón? — ella
   Escribió su nombre y dirección.

Conversación Continuada

Escriba su nombre y dirección en el pizarrón.
¿Qué está haciendo él?
Está escribiendo su nombre y dirección en el pizarrón.
Espere un momento.
¿Ha escrito Ud. ya toda la dirección?
No, todavia no he terminado.
¿Ha escrito él ya toda la dirección?
No, todavía no ha terminado.
Termine, por favor.
¿Ha terminado Ud. ya?
Sí, ya he terminado.
¿Ha terminado él ya?
Sí, ya ha terminado.
¿Qué escribió Ud. en el pizarrón?
Escribí mi nombre y dirección.

¿Qué escribió él en el pizarrón?
Escribió su nombre y dirección.

Sección III

Ejercicios de Conversación

Vea las ilustraciones en la página 122

1. ¿Qué moneda es ésta?
   Es una peseta española.

2. ¿De qué nación es este peso?
   Es de Méjico.

3. Y este bolívar, ¿de qué país es?
   Es de Venezuela.

4. ¿De dónde es este quetzal?
   Es de Guatemala.

5. ¿De dónde es este peso?
   Es de Argentina.

Conversación Continuada

¿Qué moneda es ésta?
Es una peseta española.
¿De qué nación es este peso?
Es de Méjico.
Y este bolívar, ¿de qué país es?
Es de Venezuela.
¿De dónde es este quetzal?
Es de Guatemala.
¿De dónde es este peso?
Es de Argentina.

Sección IV

Lectura

Los Sres. Rodríguez, García y Jiménez están sentados en este restaurante tomando café. El Sr. Rodríguez es ingeniero; estudió su carrera en Madrid y ahora está trabajando en construcciones del gobierno. El Sr. García nació en Méjico y estudió allí; él es maestro y al presente está viviendo en Madrid. Con ellos está un periodista, el Sr. Jiménez, que estudió periodismo en Barcelona. Aunque no trabajan cerca de este restaurante vienen con frecuencia aquí para tomar café al terminar sus trabajos. Un amigo de ellos, el Sr. Gómez, se acerca y pregunta: "¿Puedo sentarme? ". "Por supuesto, Sr. Gómez, siéntese", le contesta el Sr. Rodríguez.

Preguntas

1. ¿Dónde están los tres señores?
2. ¿Están sentados o de pie?
3. ¿Qué están tomando?
4. ¿Qué es el Sr. Rodríguez?
5. ¿Dónde estudió?
6. ¿En qué está trabajando?
7. ¿Dónde nació el Sr. García?
8. ¿Qué es el Sr. García?
9. ¿Dónde nació y estudió?
10. ¿Quién más está con ellos?
11. ¿Cuál es su profesión?
12. ¿Quién se acerca y qué pregunta?
13. ¿Qué le contesta el Sr. Rodríguez?

Conversación Práctica

Use estas u otras expresiones semejantes para estimular la conversación entre los estudiantes.

1. ¿Tiene Ud. muchos amigos?
2. ¿Se reune con ellos para tomar café?
3. ¿Alguno de sus amigos es profesional?
4. ¿Son casados o solteros?
5. ¿Vive alguno cerca de su casa?

LECCION SEIS

Sección I

Ejercicios de Conversación

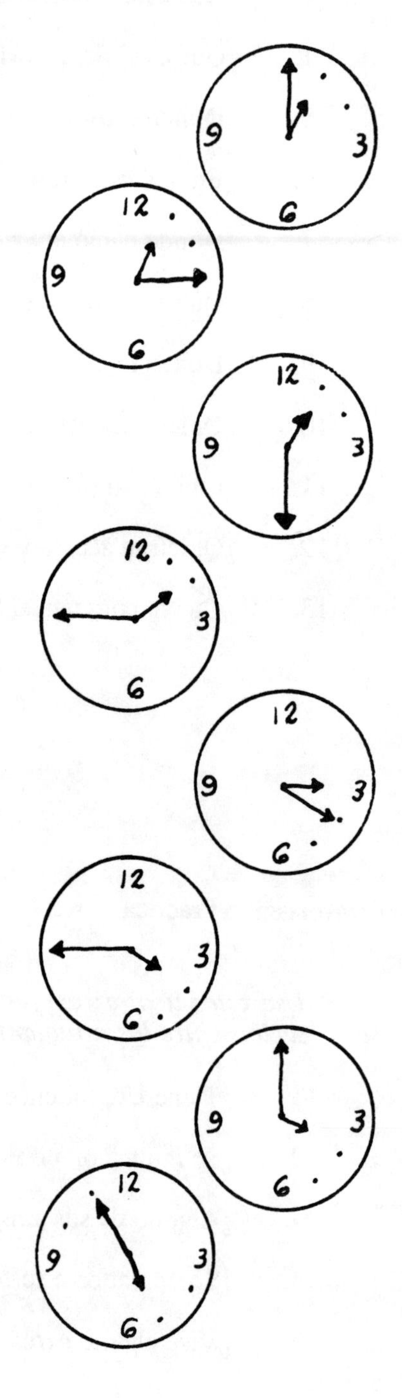

1. ¿Qué hora es?
   Es la una.

2. ¿Qué hora es?
   Es la una y quince.
   Es la una y cuarto.

3. ¿Qué hora es?
   Es la una y media.
   Es la una y treinta.

4. ¿Qué hora es?
   Es la una y 45 minutos.
   Son las dos menos cuarto.

5. ¿Qué hora es?
   Son las tres y 20 minutos.

6. ¿Qué hora es?
   Son las tres y 45 minutos.
   Son las cuatro menos cuarto.

7. ¿Qué hora es?
   Son las cuatro en punto.

8. ¿Qué hora es?
   Son las cinco menos cinco.
   Faltan cinco minutos para
   las cinco.

*Siga practicando con otras horas,
con la ayuda de un reloj.*

Practique la Conversación Continuada

Sección II

Ejercicios de Conversación

1. ¿Qué es esto?
   Es un reloj. — de pulsera/ de pared/ despertador

2. ¿Es un reloj de pared?
   No, es un reloj de pulsera.

3. ¿Para qué es el reloj?
   Es para saber la hora.

4. ¿Qué tiene el reloj?
   Tiene dos manecillas.

5. ¿Son iguales las dos?
   No, una es grande y la otra es pequeña.

6. ¿Qué marca la pequeña?
   Marca la hora.

7. ¿Qué marca la grande?
   Marca los minutos.

Practique la Conversación Continuada

Ejercicios de Conversación

1. ¿Tiene Ud. un reloj?
   Sí, tengo uno.

2. ¿Tiene él un reloj? — ella
   Sí, tiene uno.

3. ¿Dónde lleva Ud. el reloj?
   Lo llevo en la muñeca. — el bolso/bolsillo

4. ¿Dónde lo lleva él? — ella
   Lo lleva en la muñeca. — el bolso/bolsillo

5. ¿Puede decirme la hora?
   Son las ... .

6. ¿Qué hora tiene su reloj?
   Mi reloj tiene las .... .

Practique la Conversación Continuada

Sección III

Ejercicios de Conversación

Vea las ilustraciones en la página 123

1. ¿Qué hace el Sr. Pérez?
   Está montando en el tren.

2. ¿Dónde toma el tren?
   En la estación de ferrocarriles.

3. ¿Qué hace la Sra. de Munera?
   Está montando en el autobús.

4. ¿Dónde toma ella el autobús?
   En la terminal de autobuses.

5. ¿Adónde va la Sra. de Munera?
   Va al aeropuerto.

Practique la Conversación Continuada

Sección IV

Lectura

El Sr. Robinson está de vacaciones. Llegó esta mañana a Palma de Mallorca. Hoy en el hotel, el desayuno es a las 9,00 de la mañana, la comida es a las 2,30 de la tarde y la cena es a las 10,00 de la noche. A las 10,00 de la mañana el autobús espera a la entrada del hotel, porque los turistas van a visitar la ciudad. Desde las 3,00 de la tarde los turistas están libres. Por la tarde el Sr. Robinson toma un taxi y va a comprar regalos para su familia. Después de cenar lee el periódico. Se acuesta pronto porque mañana tiene que levantarse temprano para visitar las Cuevas de Manacor.

Preguntas

1. ¿En qué ciudad está de vacaciones el Sr. Robinson?
2. ¿A qué hora es el desayuno en el hotel?
3. ¿A qué hora es la comida?
4. ¿A qué hora es la cena?
5. ¿Adónde van los turistas por la mañana?
6. Los turistas, ¿tienen la tarde libre?
7. ¿Qué hace el Sr. Robinson por la tarde?
8. ¿Qué hace después de cenar?
9. ¿Por qué se acuesta pronto?
10. ¿Por qué tiene que levantarse temprano?

Conversación Práctica

Use estas u otras expresiones semejantes para estimular la conversación entre los estudiantes.

1. ¿Le gusta viajar?
2. ¿Adónde fue de vacaciones?
3. ¿Se hospedó en un hotel bueno?
4. ¿Comió Ud. en el hotel o fuera del hotel?
5. ¿Fue bueno el servicio de los empleados?
6. ¿Cuántos días pasó de vacaciones?

LECCION SIETE

Sección I

Ejercicios de Conversación

1. ¿Cuál es su nombre?
   Mi nombre es .... .

2. ¿Cuál es el nombre del señor? — de la señora/ de la señorita
   Su nombre es .... .

3. ¿Habla Ud. inglés?
   Sí, hablo inglés.

4. ¿Habla él inglés? — ella
   Sí, habla inglés.

5. ¿Habla Ud. español?
   Hablo un poco de español.

6. ¿Habla él español? — ella
   Habla un poco de español.

Siga practicando con otras lenguas, practicando también el negativo.

Practique la Conversación Continuada

Sección II

Ejercicios de Conversación

1. Tome el lápiz.
   ¿Qué tiene Ud. en la mano?
   Tengo el lápiz.

2. Ponga el lápiz en la mesa.
   ¿Qué hizo Ud.?
   Puse el lápiz en la mesa.

3. ¿Qué hizo él? ella
   Puso el lápiz en la mesa.

4. ¿Puso Ud. la silla en la mesa?
   No, no puse la silla en la mesa.

5. ¿Puso él la silla en la mesa? ella
   No, no puso la silla en la mesa.

6. ¿Qué puso Ud. en la mesa?
   Puse el lápiz.

7. ¿Qué puso él en la mesa? ella
   Puso el lápiz.

Siga practicando con otros objetos y en diferentes posiciones.

Nota estructural

Infinitivo	Imperativo	Pretérito Indefinido	
poner	ponga	(yo) (Ud., él, ella)	puse puso

Practique la Conversación Continuada

Ejercicios de Conversación

1. Levántese.
   ¿Qué hizo Ud.?
   Me levanté.

2. ¿Qué hizo él? ella
   Se levantó.

3. Salga al pasillo.
   ¿Adónde ha salido Ud.?
   He salido al pasillo.

4. ¿Adonde ha salido él? — ella
   Ha salido al pasillo.

5. Entre en la clase.
   ¿Adónde ha entrado Ud.?
   He entrado en la clase.

6. ¿Adónde ha entrado él? — ella
   Ha entrado en la clase.

7. ¿Dónde está Ud. ahora?
   Estoy en la clase.

8. ¿Dónde está él ahora? — ella
   Está en la clase.

Practique la Conversación Continuada

Ejercicios de Conversación

Mande abrir el libro en una lectura ya estudiada.

1. Lea en la página ... .
   ¿Qué está haciendo él? — ella
   Está leyendo en la página ... .

2. Un momento, por favor.
   ¿Ha leído Ud. toda la lectura?
   No, no la he leído toda.

3. ¿Ha leído él toda la lectura?
   No, no la ha leído toda.

4. Siga leyendo, por favor.
   ¿Ha leído Ud. toda la lectura?
   Sí, ya la he leído toda.

5. ¿Ha leído él toda la lectura? — ella
   Sí, ya la ha leído toda.

Practique la Conversación Continuada

Nota estructural

Infinitivo	Imperativo	Pretérito Perfecto		
leer salir entrar	lea salga entre	(yo) (Ud., él, ella)	he ha	leído salido entrado

Sección III

Ejercicios de Conversación

Vea las ilustraciones en la página 124

1. ¿Qué presenta esta ilustración?
   Presenta una tienda de ropa de caballeros.

2. ¿Qué hay en el escaparate?
   Hay trajes. — pantalones/sacos/corbatas/zapatos/sombreros

3. ¿Cuánto cuesta un traje?
   Cuesta 90 pesos.

4. ¿Cuánto cuestan unos zapatos?
   Cuestan 18 pesos.

5. ¿Son caros los zapatos?
   No, no son muy caros. — Sí, son muy caros.

6. ¿Son baratas las corbatas?
   Sí, son bastante baratas. — No, no son baratas.

Practique la Conversación Continuada

Sección IV

Lectura

El Sr. Smith ha entrado en una tienda de ropa para caballeros. El dependiente se le acerca y le pregunta:

—¿Necesita algo?

El Sr. Smith le contesta:

—Sí, necesito algunas cosas: un traje, una camisa, una corbata, unos zapatos y unos pañuelos.

El dependiente le presenta un traje, una corbata que combina con el traje y unos zapatos; luego le trae una camisa y unos pañuelos. El Sr. Smith se prueba los zapatos y el traje, y pregunta al dependiente:

–¿Cuánto es todo?

El dependiente hace cálculos y le contesta:

–Solamente 77 pesos; no es mucho, ¿verdad?

El Sr. Smith le contesta:

–No está mal, pero no es una ganga.

El Sr. Smith paga la cuenta y sale de la tienda.

Preguntas

1. ¿Dónde ha entrado el Sr. Smith?
2. ¿Qué le pregunta el dependiente?
3. ¿Qué necesita el Sr. Smith?
4. ¿Qué le presenta el dependiente?
5. ¿Qué le trae luego?
6. ¿Qué se prueba el Sr. Smith?
7. ¿Qué pregunta el Sr. Smith al dependiente?
8. ¿Cuánto cuesta todo?
9. ¿Qué le contesta el Sr. Smith?
10. ¿Qué hace el Sr. Smith al fin?

Conversación Práctica

Use estas u otras expresiones semejantes para estimular la conversación entre los estudiantes.

1. ¿Dónde compró Ud. ese traje?
2. ¿Dónde compra Ud. sus trajes otras veces?
3. ¿Son caros o baratos los trajes ahora?
4. ¿Compra Ud. sus trajes ya hechos?
5. ¿Dónde compró Ud. esos zapatos?

LECCION OCHO

Sección I

Ejercicios de Conversación

1. Hablemos de deportes.
   ¿Le gustan a Ud. los deportes?
   Sí, me gustan mucho. — No, no me gustan mucho.

2. ¿A él le gustan los deportes? — a ella
   Sí, le gustan mucho. — No, no le gustan mucho.

3. ¿Qué deporte le gusta más a Ud.?
   Me gusta ... .

4. ¿Qué deporte le gusta más a él? — a ella
   Le gusta ... .

5. ¿Practica Ud. algún deporte?
   Sí, practico ... .

6. ¿Practica él algún deporte? — ella
   Sí, practica ... .

7. ¿Cuál es su equipo favorito?
   Mi equipo favorito es ... .

8. ¿Cuál es el equipo favorito de él? — de ella
   Su equipo favorito es ... .

Practique la Conversación Continuada

Sección II

Ejercicios de Conversación

Si no es posible apagar la luz, practique con: v.g. transistor/fósforo

1. Vaya a la puerta, por favor.
   ¿Adónde fue él?
   Fue a la puerta.

2. ¿Adónde vino Ud.? — ella
   Vine a la puerta.

3. ¿Qué es esto?
   Es un interruptor.

4. ¿Para qué es el interruptor?
   Es para prender y apagar la luz.

5. Prenda la luz, por favor.
   ¿Qué ha prendido Ud.?
   He prendido la luz.

6. ¿Qué ha prendido él? — ella
   Ha prendido la luz.

7. ¿Ha prendido Ud. un fósforo? — televisión
   No, no he prendido un fósforo. — radio

8. ¿Qué prendió él? — ella
   Prendió la luz.

9. ¿Qué prendió Ud.?
   Prendí la luz.

Practique la Conversación Continuada

Ejercicios de Conversación

1. ¿La luz está prendida o apagada?
   La luz está prendida.

2. ¿Quién prendió la luz?
   Yo la prendí.

3. ¿Prendió Ud. la luz?
   No, él la prendió.

4. Apague la luz.
   ¿Qué ha apagado Ud.?
   He apagado la luz.

5. ¿Qué hizo él? ella
   Apagó la luz.

6. ¿Qué hizo Ud.?
   Apagué la luz.

7. ¿La luz está prendida o apagada?
   Está apagada.

8. Siéntese, por favor.
   Gracias, con su permiso.

Practique la Conversación Continuada

Sección III

Ejercicios de Conversación

Vea las ilustraciones en la página 125

1. ¿Qué tiene en la mano el Sr. Pérez?
   Tiene una cámara fotográfica.

2. ¿Qué está haciendo?
   Está tomando una fotografía.

3. ¿Tiene algo más?
   Tiene unos binoculares.

4. ¿Qué hace con ellos?
   Mira las montañas.

5. Y en este momento, ¿qué hace?
   Oye música de su radio transistor.

Practique la Conversación Continuada

Sección IV

Lectura

El Sr. Smith está en la Plaza Monumental de Méjico. Quiere ver una corrida de toros. Hoy la plaza está llena y hay mucha animación entre la multitud. Aparecen los toreros desfilando con sus trajes de luces. Ya ha salido el primer toro. El torero ha abierto su capa y ha dado unos pases muy elegantes. Los espectadores se levantan de sus asientos y gritan emocionados: "OLE...OLE... " Tiran a la arena sus sombreros, sus sacos y levantan al aire sus pañuelos... La corrida ha sido muy buena. Todos salen muy contentos. El Sr. Smith ha tomado muchas fotografías y le ha gustado la Fiesta Brava.

Preguntas

1. ¿Dónde está el Sr. Smith?
2. ¿Qué quiere ver?
3. ¿Cómo está hoy la plaza?
4. ¿Quiénes aparecen desfilando?
5. ¿Qué trajes llevan?
6. Al salir el primer toro, ¿qué ha hecho el torero?
7. ¿Qué hacen los espectadores?
8. ¿Y qué gritan?
9. ¿Qué tiran a la arena?
10. ¿Qué tal ha sido la corrida?
11. ¿Los espectadores salen muy tristes?
12. ¿Qué ha hecho el Sr. Smith?

Conversación Práctica

Use estas u otras expresiones semejantes para estimular la conversación entre los estudiantes.

1. ¿Ha estado Ud. en alguna plaza de toros?
2. ¿Ha visto alguna corrida de toros?
3. ¿Le gustan las corridas de toros?
4. ¿En qué países hay corridas de toros?
5. ¿Ha visto torear a algún torero famoso?

LECCION NUEVE

Sección I

Ejercicios de Conversación

1. ¿Es Ud. casado o soltero?
   Soy ... .

2. ¿Es él casado o soltero?
   Es ... .

3. ¿Es ella casada o soltera?
   Es ... .

4. ¿Cuándo se casó Ud.?
   Me casé hace ... años.

5. ¿Cuándo se casó él? — ella
   Se casó hace ... años.

6. ¿Tiene Ud. hijos?
   Sí, tengo ... .

7. ¿Cuántos años tienen?
   Tienen ... años. — tiene ... años

Sección II

Ejercicios de Conversación

1. ¿Tiene Ud. una moneda?
   Sí, tengo una. — tengo algunas

2. ¿Dónde tiene Ud. la moneda?
   La tengo en mi ... . — bolsillo/bolso/ monedero/ billetera/

3. Saque la moneda de su bolsillo.
   ¿Qué está haciendo Ud.?
   Estoy sacando la moneda de mi bolsillo.

4. ¿Qué está haciendo él? — ella
   Está sacando la moneda de su bolsillo.

5. ¿Qué ha sacado Ud. de su bolsillo?
   He sacado una moneda.

6. ¿Qué ha sacado él de su bolsillo? — ella
   Ha sacado una moneda.

7. ¿Qué hizo Ud.?
   Saqué una moneda de mi bolsillo.

8. ¿Qué hizo él? — ella
   Sacó una moneda de su bolsillo.

Practique la Conversación Continuada

Ejercicios de Conversación

1. ¿De quién es esta moneda?
   Es mía.

2. ¿De qué país es esta moneda?
   Es de ... .

3. ¿De cuánto es esta moneda?
   Es de....

4. ¿Es suya esta moneda?
   Sí, es mía.

Practique la Conversación Continuada

Ejercicios de Conversación

1. Tire esta moneda al suelo.
   ¿Qué ha tirado Ud. al suelo?
   He tirado la moneda.

2. ¿Qué hizo él? — ella
Tiró la moneda al suelo.

3. ¿Qué hizo Ud.?
Tiré la moneda al suelo.

4. Recoja la moneda.
¿Qué ha recogido Ud.?
He recogido la moneda.

5. ¿Qué hizo él? — ella
Recogió la moneda.

6. ¿Qué hizo Ud.?
Recogí la moneda.

7. Guarde la moneda.
¿Dónde ha guardado la moneda?
La he guardado en mi bolsillo — bolso/monedero

8. ¿Dónde ha guardado él la moneda?
La ha guardado en su bolsillo. — bolso/monedero

Practique la Conversación Continuada

Sección III

Ejercicios de Conversación

Vea las ilustraciones en la página 126

1. ¿Dónde está el Sr. Robinson?
Está en la aduana del aeropuerto.

2. ¿Qué está haciendo el inspector?
Está poniendo el sello de "Entrada".

3. ¿Qué recoge el Sr. Robinson?
Recoge sus maletas.

4. ¿Qué hace el inspector?
Revisa las maletas.

5. ¿Qué puede pasar libre de impuestos?
Puede pasar dos cartones de cigarrillos.

dos botellas de licor/
una caja de tabacos/
una cámara

Practique la Conversación Continuada

Sección IV

Lectura

La familia Robinson llega en avión al aeropuerto de Madrid. El Sr. Robinson le advierte a su familia que no dejen nada en el avión. Saca el pasaporte de su bolsillo y al mismo tiempo se le caen las llaves al suelo. Uno de los hijos las recoge. Al bajar del avión, un autobús los lleva hasta la aduana. Un inspector le pone en el pasaporte el sello de "Entrada". Otro de los inspectores les revisa las maletas y le pregunta si llevan algo que declarar. El Sr. Robinson le contesta que no llevan nada especial; solamente objetos personales. El inspector, muy amable, le muestra la salida.

Preguntas

1. ¿Adónde llega la familia Robinson?
2. ¿Qué advierte a su familia el Sr. Robinson?
3. ¿Qué saca de su bolsillo?
4. ¿Qué se le cae al mismo tiempo?
5. ¿Quién recoge las llaves del suelo?
6. ¿En qué van hasta la aduana?
7. ¿Qué pone el inspector en el pasaporte?
8. ¿Qué hace otro de los inspectores?
9. El Sr. Robinson, ¿lleva algo que declarar?
10. ¿Qué clase de objetos lleva?
11. ¿Quién le muestra la salida al Sr. Robinson?

Conversación Práctica

Use estas u otras expresiones semejantes para estimular la conversación entre los estudiantes.

1. ¿Ha viajado Ud. en avión?
2. ¿Le gusta más el avión o el barco?
3. ¿Ha viajado solo o acompañado?
4. ¿Ha tenido problemas en las aduanas?
5. ¿Qué aduanas han sido más estrictas para Ud.?

LECCION DIEZ

Sección I

Ejercicios de Conversación

1. ¿En qué trabaja Ud.?
   Trabajo como .... .

2. ¿En qué trabaja él? — ella
   Trabaja como .... .

3. ¿Dónde trabaja Ud.?
   Trabajo en .... .

4. ¿Dónde trabaja él? — ella
   Trabaja en .... .

5. ¿Cuántos días trabaja Ud.?
   Trabajo cinco días a la semana.

6. ¿Cuántos días trabaja él? — ella
   Trabaja. . . días a la semana.

7. ¿Trabaja Ud. los sábados y los domingos?
   No, no trabajo esos días.
   — Sí, trabajo esos días.

Practique la Conversación Continuada

Sección II

Ejercicios de Conversación

1. ... y ... ¿tienen Uds. unas llaves?
   Sí, tenemos unas llaves.

2. ¿Tienen ellos unas llaves? — ellas
   Sí, tienen unas llaves.

3. Dejen las llaves en la mesa.
   ¿Qué han dejado Uds. en la mesa?
   Hemos dejado las llaves en la mesa.

4. ¿Qué han dejado ellos en la mesa? — ellas
   Han dejado las llaves en la mesa.

5. ¿Qué hicieron Uds.?
   Dejamos las llaves en la mesa.

6. ¿Qué hicieron ellos? — ellas
   Dejaron las llaves en la mesa.

7. ¿Dónde están las llaves?
   Están en la mesa.

Siga practicando con: libros/cuadernos/plumas/
en el suelo/en la silla

Practique la Conversación Continuada

Ejercicios de Conversación

1. ... y ... salgan al pasillo.
   ¿Qué están haciendo Uds.?
   Estamos saliendo al pasillo.

2. ¿Qué están haciendo ellos? — ellas
   Están saliendo al pasillo.

3. ¿Han salido Uds. a la calle?
   No, hemos salido al pasillo.

4. ¿Han salido ellos al pasillo? — ellas
   Sí, han salido al pasillo.

5. ¿Qué hicieron Uds.?
   Salimos al pasillo.

6. ¿Qué hicieron ellos? — ellas
   Salieron al pasillo.

7. ¿Donde están Uds. ahora?
   Estamos en el pasillo.

8. ¿Dónde están ellos ahora? — ellas
   Están en el pasillo.

Siga practicando con: abrir ... libros/cuadernos/puertas/maletines/
mover ... mesa/silla/cesto

Practique la Conversación Continuada

Ejercicios de Conversación

1. ... y ... entren en la clase.
   ¿Qué están haciendo Uds.?
   Estamos entrando en la clase.

2. ¿Qué están haciendo ellos? — ellas
   Están entrando en la clase.

3. ¿Han entrado Uds. en la clase ya?
   Sí, ya hemos entrado.

4. ¿Han entrado ellos en la clase? — ellas
   Sí, han entrado en la clase.

5. ¿Qué hicieron Uds.?
   Entramos en la clase.

6. ¿Qué hicieron ellos? — ellas
   Entraron en la clase.

7. ¿Dónde están Uds. ahora?
   Estamos en la clase.

Practique la Conversación Continuada

Nota estructural

Infinitivo	Pretérito Perfecto				Pretérito Indefinido	
DEJAR	sing.	yo	he	dejado	yo	dej< é
		él	ha	dejado	él	ó
	plu.	nosotros	hemos	dejado	nosotros	dej< amos
		ellos	han	dejado	ellos	aron
SALIR	sing.	yo	he	salido	yo	sal< í
		él	ha	salido	él	ió
	plu.	nosotros	hemos	salido	nosotros	sal< imos
		ellos	han	salido	ellos	ieron

Recuerde que él/ella/Ud. son 3ra. pers. sing.

Sección III

Ejercicios de Conversación

Vea las ilustraciones en la página 127

1. ¿Dónde queda el hotel?
   Queda en el Condado.

2. ¿Tienen habitaciones libres?
   Sí, tienen varias.

3. ¿Al señor le gusta el cuarto con dos camas?
   No, le gusta con una cama.

4. ¿Desea una habitación con baño?
   Sí, la prefiere con baño.

5. ¿Cuánto cuesta por día?
   Cuesta diez pesos.

Practique la Conversación Continuada

Sección IV

Lectura

Los Sres. Enríquez y Martínez viven en el mismo barrio y los dos trabajan en la misma fábrica. El Sr. Enríquez es electricista y el Sr. Martínez es mecánico. Esta mañana fueron a trabajar juntos. Tomaron el metro. Llegaron a la fábrica a las nueve menos cuarto. A las doce tomaron su almuerzo. Por la tarde trabajaron hasta las seis. Salieron de la fábrica a las siete y llegaron muy tarde a sus casas.

Preguntas

1. ¿Dónde viven los Sres. Enríquez y Martínez?
2. ¿Dónde trabajan?
3. ¿Qué son ellos?
4. ¿Tomaron el autobús esta mañana?
5. ¿A qué hora llegaron a la fábrica?
6. ¿A qué hora tomaron su almuerzo?
7. ¿Hasta qué hora trabajaron por la tarde?
8. ¿A qué hora salieron de la fábrica?
9. ¿Llegaron temprano a sus casas?

Conversación Práctica

Use estas u otras expresiones semejantes para estimular la conversación entre los estudiantes.

1. ¿En qué trabaja Ud.?
2. ¿Dónde trabaja Ud.?
3. ¿Su trabajo está lejos de su casa?
4. ¿Es un trabajo difícil o fácil?
5. ¿Cuánto tiempo tarda en llegar a su trabajo?
6. ¿A qué hora entra a trabajar?
7. ¿Va a su trabajo en autobús?
8. ¿A qué hora regresa a su casa?

LECCION ONCE

Sección I

Ejercicios de Conversación

Ayuda visual: Calendario

1. ¿Qué es esto?
   Es un calendario. — almanaque

2. ¿Para qué es el calendario?
   Es para saber el día y la fecha.

3. ¿Qué día es hoy?
   Hoy es lunes. — martes, miércoles, jueves, viernes, sábado, domingo

4. ¿Qué día fue ayer? — anteayer
   Ayer fue ... .

5. ¿Qué día es mañana? — pasado mañana
   Mañana es ... .

6. ¿A cuántos estamos hoy?
   Hoy estamos a ... (28 de enero).

7. ¿A cuántos estamos mañana?
   Mañana estamos a ... (29 de enero).

Siga practicando con otras fechas para enseñar los meses.

Practique la Conversación Continuada

Sección II

Ejercicios de Conversación

El maestro debe colocarse en lugar propio de acuerdo a la pregunta.

1. Vaya a la puerta.
¿Adónde va Ud.?
Voy a la puerta.

2. ¿Fue Ud. al pasillo?
No, no fui al pasillo.

3. ¿Vino Ud. a la puerta?
Sí, vine a la puerta.

4. ¿Fue él a la puerta? — ella
Sí, fue a la puerta.

5. ¿Fue él al pasillo? — ella
No, no fue al pasillo.

6. ¿Adónde fue él? — ella
Fue a la puerta.

7. ¿Dónde está Ud. ahora?
Estoy en la puerta.

8. ¿Dónde está él ahora? — ella
Está en la puerta.

Siga practicando con: Vaya a la sala / vaya al pasillo / vaya al corredor.

Practique la Conversación Continuada

Ejercicios de Conversación

1. Venga a su puesto.
¿Adónde va Ud.?
Voy a mi puesto.

2. ¿Fue Ud. al rincón?
No, no fui al rincón.

3. ¿Vino Ud. a su puesto?
   Sí, vine a mi puesto.

4. ¿Vino él a su puesto? — ella
   Sí, vino a su puesto.

5. ¿Fue él al rincón? — ella
   No, no fue al rincón.

6. ¿Adónde vino él? — ella
   Vino a su puesto.

7. ¿Dónde está Ud.?
   Estoy en mi puesto.

8. ¿Dónde está él? — ella
   Está en su puesto.

Siga practicando con: Venga hacia acá /venga junto a mí/venga al frente de la clase.

Practique la Conversación Continuada

Sección III

Ejercicios de Conversación

Vea las ilustraciones en la página 128

1. ¿Qué está haciendo la Sra. de Ramírez?
   Está alquilando un coche.

2. ¿Cuánto es el alquiler por día?
   Son 300 pesetas por día.

3. El empleado, ¿llena el tanque de gasolina?
   Sí, lo llena completo.

4. ¿Revisa el aceite?
   Sí, pero el coche tiene bastante.

5. ¿Cuál es la velocidad permitida?
   Son 60 kilómetros por hora.

6. ¿Qué le pide el policía?
   Le pide la licencia de conducir.

Practique la Conversación Continuada

Sección IV

Lectura

La familia Ortiz va a la playa. Es sábado. El padre fue al garaje, puso gasolina, aceite y agua en el coche. La madre fue a comprar café, leche, refrescos y pan. El hijo mayor fue al banco y al regresar su padre le preguntó: "¿Dónde está tu hermano? ". El contestó: "Se fue a jugar baloncesto". Poco después vino el hijo menor. Tomaron el coche y llegaron pronto a la playa. Celebraron allí el cumpleaños de su hija María; cumplió trece años, el día 17 de julio.

Preguntas

1. ¿Adónde fue la familia Ortiz?
2. ¿Qué día fueron a la playa?
3. ¿Adónde fue el padre y qué hizo?
4. ¿Qué fue a comprar la madre?
5. ¿Adónde fue el hijo mayor?
6. Al regresar del banco, ¿qué le preguntó el padre?
7. ¿Qué contestó el hijo mayor?
8. ¿Vino pronto el menor?
9. ¿Cómo llegaron a la playa?
10. ¿Qué celebraron en la playa?

Conversación Práctica

Use estas u otras expresiones semejantes para estimular la conversación entre los estudiantes.

1. En verano, ¿va Ud. a la playa?
2. ¿Va Ud. en sábado o en domingo?
3. ¿Cómo va Ud. a la playa?
4. ¿Compra Ud. la comida en la playa?
5. La playa, ¿está cerca o lejos de su casa?
6. ¿A qué playa va Ud.?
7. ¿Sabe Ud. nadar bien?

LECCION DOCE

Sección I

Ejercicios de Conversación

1. ¿Qué tiempo hace hoy?
   Hace sol.
   Hace calor.

2. ¿Qué tiempo hace hoy?
   Hace mucho frío.
   Está nevando.

3. ¿El cielo está nublado?
   Sí, está nublado.
   Está lloviendo.

4. ¿Qué tiempo hace en primavera?
   En primavera hace buen tiempo.

5. ¿Qué tiempo hace en otoño?
   En otoño hace mucho viento.

6. ¿Qué tiempo hace en verano?
   En verano hace mucho calor.

7. ¿Qué tiempo hace en invierno?
   En invierno hace mucho frío.

Practique la Conversación Continuada

Sección II

Ejercicios de Conversación

1. ... y ... muevan las sillas.
   ¿Están Uds. moviendo las sillas?
   Sí, las estamos moviendo.

2. ¿Están moviendo ellos las sillas? — ellas
   Sí, las están moviendo.

3. ¿Movieron Uds. la mesa?
   No, no la movimos.

4. ¿Movieron ellos la mesa? — ellas
   No, no la movieron.

5. ¿Qué movieron Uds.?
   Movimos las sillas.

6. ¿Qué movieron ellos? — ellas
   Movieron las sillas.

Siga practicando con: corran las sillas/escriban en sus cuadernos/ recojan los libros.

Practique la Conversación Continuada

Ejercicios de Conversación

1. ... y ... vayan al corredor.
   ¿Adónde van Uds.?
   Vamos al corredor.

2. ¿Van ellos al corredor? — ellas
   Sí, van al corredor.

3. ¿Fueron Uds. a la oficina?
   No, no fuimos a la oficina.

4. ¿Fueron ellos a la oficina? — ellas
   No, no fueron a la oficina.

5. ¿Fueron ellos al corredor? — ellas
   Sí, fueron al corredor.

6. ¿Vinieron Uds. al corredor?
   Sí, vinimos al corredor.

Practique la Conversación Continuada

Ejercicios de Conversación

1. Vengan a sus puestos.
   ¿Adónde van Uds?
   Vamos a nuestros puestos.

2. ¿Fueron Uds. al rincón?
   No, no fuimos al rincón.

3. ¿Vinieron Uds. a sus puestos?
   Sí, vinimos a nuestros puestos.

4. ¿Vinieron ellos a sus puestos? — ellas
   Sí, vinieron a sus puestos.

5. ¿Fueron ellos al rincón? — ellas
   No, no fueron al rincón.

6. ¿Adónde vinieron ellos? — ellas
   Vinieron a sus puestos.

Practique la Conversación Continuada

Sección III

Vea las ilustraciones en la página 129

1. ¿Dónde queda la oficina de correos?
   Queda en la calle Colón.

2. ¿Qué necesita el señor?
   Dos estampillas de 15 centavos.

3. ¿Qué buzón está buscando?
   El de cartas para el extranjero.

4. ¿Qué pregunta este señor?
   Cómo puede certificar una carta.

5. ¿Qué desea la señora?
   Quiere asegurar el paquete.

6. ¿Qué hace el otro señor?
   Está comprando un giro postal.

Practique la Conversación Continuada

Sección IV

Lectura

Ayer fue un día nublado. Juan, Pedro y Santiago fueron a una fiesta de cumpleaños. Fue el cumpleaños de la novia de Santiago. Ella se llama María. Fueron a la fiesta otros amigos aunque llegaron tarde porque estaba lloviendo. Bailaron, comieron y bebieron alguna copita. Fue una fiesta muy bonita y todos gozaron mucho. Al salir de la fiesta, a las doce de la noche, fueron a dar una vuelta por la ciudad. Era una noche clara. Ya no llovía.

Volvieron a casa muy cansados y se acostaron. Por la mañana se levantaron tarde.

Preguntas

1. ¿Cómo fue el día ayer?
2. ¿Adónde fueron los tres amigos?
3. ¿De quién fue el cumpleaños?
4. ¿Cómo se llama la novia de Santiago?
5. ¿Quiénes fueron a la fiesta?
6. ¿Qué hicieron en la fiesta?
7. Al salir de la fiesta, ¿adónde fueron?
8. ¿Qué tiempo hacía?
9. ¿Cómo volvieron a casa?
10. Por la mañana, ¿se levantaron temprano?

Conversación Práctica

Use estas u otras expresiones semejantes para estimular la conversación entre los estudiantes.

1. ¿Cuándo fue Ud. a una fiesta de cumpleaños?
2. ¿De quién fue el cumpleaños?
3. ¿Qué hizo Ud. en la fiesta?
4. ¿Con quién fue a la fiesta?
5. ¿Fueron sus amigos a la fiesta?
6. ¿Dónde fue la fiesta?
7. ¿Fueron muchas personas a la fiesta?

LECCION TRECE

Sección I

Ejercicios de Conversación

1. ¿Qué hay sobre la mesa?
   Sobre la mesa hay un teléfono.

2. ¿Qué más hay sobre la mesa?
   Hay una carpeta con dos plumas.

3. ¿Qué vemos debajo de la mesa?
   Vemos un cesto debajo de la mesa.

4. ¿Qué hay entre el señor y la señorita?
   Hay un florero.

5. ¿Qué cuelga de la pared?
   Una pintura de un barco.

Practique la Conversación Continuada

Sección II

Ejercicios de Conversación

1. ¿Qué tiene Ud. en la muñeca?
   Tengo el reloj.

2. Quítese el reloj.
   ¿Se quitó Ud. el reloj?
   Sí, me quité el reloj.

3. ¿Se quitó él el saco?
   No, se quitó el reloj.

4. ¿Se quitó Ud. el saco?
   No, no me quité el saco.

5. ¿Qué se quitó Ud.?
   Me quité el reloj.

6. ¿Qué se quitó él?
   Se quitó el reloj.

7. ¿De quién es el reloj?
   Es mío.

Practique la Conversación Continuada

Ejercicios de Conversación

1. Póngase el reloj.
   ¿Se puso Ud. el reloj?
   Sí, me puse el reloj.

2. ¿Se puso él el sombrero?
   No, no se puso el sombrero.

3. ¿Se puso Ud. el sombrero?
No, no me puse el sombrero.

4. ¿Qué se puso él?
Se puso el reloj.

5. ¿Qué se puso Ud.?
Me puse el reloj.

Siga practicando con: gafas / sombrero / saco / anillo / pendientes/ prendedor

Practique la Conversación Continuada

Ejercicios de Conversación

1. ... y ... acérquense más acá.
¿Se acercaron Uds.?
Sí, nos acercamos más acá.

2. ¿Se acercaron ellos? — ellas
Sí, se acercaron más acá

3. ¿Se alejaron Uds.?
No, no nos alejamos.

4. ¿Se alejaron ellos? — ellas
No, no se alejaron.

5. ¿Qué hicieron Uds.?
Nos acercamos más acá.

6. ¿Qué hicieron ellos? — ellas
Se acercaron más acá.

Siga practicando con: apártense un poco/muévanse hacia adelante/ échense para atrás/siéntense/levántense/ pónganse de pie

Practique la Conversación Continuada

Sección III

Ejercicios de Conversación

Vea las ilustraciones en la página 130

1. ¿Qué película se presenta?
   Se presenta la película "El Cid".

2. ¿Dónde compra las entradas?
   Las compra en la taquilla.

3. ¿Cuánto cuestan las entradas?
   Cuestan dos pesos cada una.

4. ¿Dónde están sus asientos?
   Están en el centro.

5. ¿A qué hora empieza la película?
   Empieza a las 7 de la noche.

6. ¿A qué hora se termina?
   Se termina antes de las diez de la noche.

Practique la Conversación Continuada

Sección IV

Lectura

La familia Méndez es muy ordenada. La Sra. de Méndez es una señora muy elegante. Sus ojos son azules y su pelo es rubio. Se levanta a las seis de la mañana; se baña, se viste, se peina y se arregla la cara. Mientras su esposo se levanta, ella prepara el desayuno. El Sr. Méndez es alto y fuerte. Su pelo es negro y es bien parecido. Se afeita todos los días. Juán, el más pequeño, que se parece a su madre, no quiere lavarse la cara y nunca se peina; su madre tiene que obligarle. Los niños desayunan y se van a la escuela. El padre se va a trabajar. Por la tarde los niños se quitan la ropa de la escuela y se ponen a ver televisión. El padre, al llegar, se cambia de ropa y se sienta a leer el periódico. Cenan y a las once se acuestan.

Preguntas

1. ¿Cómo se llama esta familia?
2. ¿Qué hace la Sra. de Méndez cuando se levanta?
3. ¿Cómo es la Sra. de Méndez?
4. ¿Quién prepara el desayuno?
5. ¿Cómo es el Sr. Méndez?
6. ¿Qué hace todos los días?
7. ¿A quién no le gusta ni lavarse ni peinarse?
8. ¿Adónde se van los niños después de desayunar?
9. ¿Qué hacen los niños al volver de la escuela?
10. ¿Qué hace el padre al volver de trabajar?

Conversación Práctica

Use estas u otras expresiones semejantes para estimular la conversación entre los estudiantes.

1. ¿A qué hora se levanta Ud. los días de trabajo?
2. ¿A qué hora se levanta los días de fiesta?
3. ¿Prefiere Ud. bañarse por la mañana o por la tarde?
4. ¿Se afeita Ud. con maquinilla eléctrica?
5. ¿Se viste Ud. antes o después de desayunar?
6. ¿Qué hace Ud. al regresar a su casa?
7. ¿A qué hora se acuesta?

LECCION CATORCE

Sección I

Ejercicios de Conversación

1. ¿Cómo está Ud. hoy?
   Bastante bien, gracias.

2. ¿Estudió mucho estos días?
   Sí, estudié bastante estos días.

3. ¿Estudió él mucho estos días? — ella
   Sí, estudió bastante estos días.

4. Dígame algo.
   ¿Es fácil o es difícil el español?
   Para mí es difícil. — fácil

5. ¿Para él es fácil? — ella
   No, para él es difícil. — Sí, para él es fácil.

Practique la Conversación Continuada

Sección II

Ejercicios de Conversación

1. ¿Tiene Ud. un anillo? — una llave/ billetera/ un prendedor/ unos gemelos
   Sí, tengo uno.

2. Deme su anillo.
   ¿Qué me está dando Ud.?
   Le estoy dando mi anillo.

3. ¿Qué me dio él?
   Le dio su anillo.

4. ¿Qué me dio Ud.?
   Le di mi anillo.

5. ¿Quién tiene el anillo ahora?
   Lo tiene Ud.

6. ¿Quién lo tenía antes?
   Antes lo tenía yo.

Practique la Conversación Continuada

Ejercicios de Conversación

1. Dele su reloj.
   ¿Qué hizo Ud.?
   Le di mi reloj a él. — ella

2. ¿Qué hizo él?
   Le dio el reloj a él. — ella

3. ¿Quién tiene el reloj ahora?
   Lo tiene él. — ella

4. ¿Quién tenía el reloj antes?
   Lo tenía yo.

5. ¿Dónde está el reloj?
   Está en su mano.

6. ¿Dónde estaba antes?
   Estaba en mi muñeca.

Siga practica. ˒ con: anillo/cartera de bolsillo/bolígrafo / pluma

Practique la Conversación Continuada

Sección III

Ejercicios de Conversación

Vea las ilustraciones en la página 131

1. ¿Hay un teléfono en esta oficina?
   Sí, hay uno.

2. ¿Puede usarlo la señorita?
   Sí, puede usarlo.

3. ¿Qué necesita en este momento?
   Necesita la guía de teléfonos.

4. ¿Encontró el número?
   Sí, lo encontró.

5. ¿Marcó bién el número?
   Sí, pero el teléfono está ocupado.

Practique la Conversación Continuada

Sección IV

Lectura

El Sr. Romero llega a su oficina a las nueve. La correspondencia está sobre la mesa. Contesta varias llamadas telefónicas. La secretaria está en su escritorio. Suena el teléfono y la secretaria contesta: "Dígame; ¿en qué puedo servirle? ". Alguien contesta: "¿Está el Sr. Romero? ". "¿Quién habla? ", pregunta la secretaria. "Es la hija del Sr. Romero", le dice una joven. El Sr. Romero habla un momento con su hija. Luego dice a su secretaria: "Dele esta revista al Sr. Guzmán; este balance entrégueselo al contable; dele esta carta al mensajero; dígale a Jorge que quiero café. Por favor, deme un papel timbrado. Nada más, gracias".

Preguntas

1. ¿A qué hora llega el Sr. Romero a su oficina?
2. ¿Qué encúentra sobre la mesa?
3. ¿Qué es lo primero que hace?
4. ¿Qué contesta la secretaria?
5. ¿Con quién habla el Sr. Romero?
6. ¿Qué debe darle la secretaria al Sr. Guzmán?
7. ¿Para quién es el balance?
8. ¿Qué le da para el mensajero?
9. ¿Qué quiere el Sr. Guzmán?
10. ¿Qué le pide al fin?

Conversación Práctica

Use estas u otras expresiones semejantes para estimular la conversación entre los estudiantes.

1. ¿Tiene Ud. teléfono?
2. ¿Lo usa Ud. mucho?
3. ¿Qué número es su teléfono?
4. ¿Lo llaman mucho a Ud.?
5. ¿Quién contesta el teléfono en su casa?
6. ¿Habla Ud. mucho a larga distancia?
7. ¿Usa Ud. el teléfono público alguna vez?

LECCION QUINCE

Sección I

Ejercicios de Conversación

1. ¿Qué le gusta a él?
   Le gustan los deportes.

2. ¿Qué le gusta a ella?
   Le gusta leer.

3. ¿Qué les gusta a ellos?
   Les gusta la música.

4. ¿Cómo se llaman estas actividades?
   Se llaman pasatiempos

5. ¿Cuál es su pasatiempo?
   Mi pasatiempo es .... .

Siga practicando con: radio/televisión/pesca

Practique la Conversación Continuada

Sección II

Ejercicios de Conversación

1. ¿Tiene Ud. un libro?
   Sí, tengo uno.

2. Dénos su libro.
   ¿Qué hizo Ud.?
   Les di mi libro a Uds.

3. ¿Qué hizo él?
   Les dio su libro a Uds.

4. ¿A quiénes les dió Ud. el libro?
   Se lo di a Uds.

5. ¿A quiénes les dio él el libro?
   Nos lo dio a nosotros.

6. ¿Les dio el libro a ellos?
   No, no se lo dio a ellos.

7. ¿Nos dio a nosotros el libro?
   Sí, nos lo dio a nosotros.

Siga practicando: del 1 al 7 con: préstenos/ lápiz/pluma
déjenos/ reloj/anillo
del 2 al 7 con: díganos/ día/hora/fecha

Practique la Conversación Continuada

Ejercicios de Conversación

1. ¿Tiene Ud. un centavo? — No, no tengo ninguno.
   Sí, tengo uno.

2. Présteles un centavo.
   ¿Les prestó Ud. un centavo?
   Sí, les presté un centavo.

3. ¿Les prestó a Uds. un centavo?
   Sí, nos prestó un centavo.

4. ¿A quiénes se lo prestó Ud.? — ellas
   Se lo presté a ellos.

5. ¿A quiénes se lo prestó él?
   Se lo prestó a ellos. ellas

Siga practicando con: *présteles* *el lápiz*
la pluma
déjeles *el reloj /*
el anillo /
dígales *el día / la hora /*

Practique la Conversación Continuada

Sección III

Ejercicios de Conversación

Vea las ilustraciones en la página 132

1. ¿Qué es esto?
   Es una oficina de telégrafos.

2. ¿Qué escribe la Srta. Pascual?
   Escribe un telegrama.

3. ¿A quién se lo manda?
   Se lo manda a su padre.

4. ¿Qué cuenta el telegrafista?
   Cuenta las palabras.

5. ¿Cuánto es por palabra?
   Son 13 centavos por palabra.

Practique la Conversación Continuada

Sección IV

Lectura

La familia Vidal está de campo. Hace muy buen tiempo. El parque tiene muchos árboles. Hay un río y una piscina. Dejan la comida en un banco. El Sr. Vidal les da a sus hijos la pelota. Les gusta jugar al fútbol. El Sr. Vidal le pide la cámara a su esposa y ella se la entrega. El Sr. Vidal le pregunta a su esposa: "¿Le pusiste rollo a la cámara? ". "Sí, se lo puse", contesta su esposa. El Sr. Vidal toma algunas fotos de los niños con su cámara instantánea. Se las enseña a su esposa. Se sientan a comer. La madre les reparte el pollo, el arroz y las manzanas. ... Pasan un día muy agradable.

Preguntas

1. ¿Dónde está la familia Vidal?
2. ¿Qué tiempo hace?
3. ¿Qué hay en el parque?
4. ¿Qué les da a sus hijos el Sr. Vidal?
5. ¿Qué le pide el Sr. Vidal a su esposa?
6. ¿Qué le pregunta el Sr. Vidal a su esposa?
7. ¿Qué le contesta su esposa?
8. ¿Qué hace el Sr. Vidal con la cámara?
9. ¿A quién le enseña las fotos?
10. ¿Qué les reparte la madre?

Conversación Práctica

Use estas u otras expresiones semejantes para estimular la conversación entre los estudiantes.

1. ¿Va Ud. de campo alguna vez?
2. ¿Le gusta tomar fotografías?
3. ¿Le gusta escuchar música por radio?
4. ¿Prefiere Ud. leer?
5. ¿Le gusta a Ud. jugar fútbol?
6. ¿Cuál es su pasatiempo favorito?

LECCION DIECISEIS

Sección I

Ejercicios de Conversación

Tomando algunos objetos de diferentes colores aplíquelos a la ropa correspondiente para explicar los colores.

1. ¿Quién es ella?
   Es la Sra. .... . — Es la Srta ... .

2. ¿Cómo va vestida?
   Viste una falda (color). — una blusa/ un vestido/ un abrigo/ un sombrero/ unos zapatos/ unas medias

3. ¿Quién es él?
   Es el Sr. .... .

4. ¿Cómo va vestido?
   Viste un traje (color). — un saco/pantalón/ /suéter una gabardina/ /camisa unos calcetines

5. ¿De qué color es este libro?
   Es (color). — lápiz/cuaderno/ piso/pizarrón/ bolso/ pared/puerta/ pluma

Practique la Conversación Continuada

Sección II

Ejercicios de Conversación

1. ¿Están Uds. de pie?
   No, estamos sentados.

2. Pónganse de pie.
   ¿Se pusieron Uds. de pie?
   Sí, nos pusimos de pie.

3. ¿Quién es más alto? — alta
   Él es más alto que yo.

4. ¿Quién es más bajo? — baja
   Yo soy más bajo que él.

5. ¿Alcanza Ud. al techo?
   Sí, alcanzo al techo.

6. ¿Por qué alcanza Ud. al techo?
   Porque soy alto.

7. ¿Alcanza él al techo? — ella
   No, no alcanza al techo.

8. ¿Por qué no alcanza él al techo? — ella
   Porque es bajo.

Practique la Conversación Continuada

Ejercicios de Conversación

Ayuda: una regla

1. Tome esta regla.
   ¿Qué tiene Ud. en la mano?
   Tengo una regla.

2. Mida la pared. — puntero/lápiz
   ¿Qué hace Ud. ahora?
   Mido la pared.

3. ¿Qué hace él? — ella
   Mide la pared.

4. ¿Cuánto mide la pared?
   La pared mide ... .

5. Mida la mesa.
   ¿Qué hace ahora Ud.?
   Mido la mesa.

6. ¿Qué hace él ahora? — ella
   Mide la mesa.

7. ¿Cuánto mide la mesa?
   La mesa mide ... .

8. ¿Cuál es más larga? — largo
   La pared es más larga que la mesa.

9. ¿Cuál es más corta? — corto
   La mesa es más corta que la pared.

Practique la Conversación Continuada

Sección III

Ejercicios de Conversación

Vea las ilustraciones en la página 133

1. ¿Dónde está esta señorita?
   Está en una tienda de ropa.

2. ¿Qué está mirando?
   Está mirando los modelos de vestidos.

3. ¿Qué hace la empleada?
   Le toma la medida.

4. ¿Qué vestido escoge?
   Escoge un vestido de noche.

5. ¿El vestido es largo?
   No, es un vestido corto.

Practique la Conversación Continuada

Sección IV

Lectura

En la casa de los Ramírez hay un baile. Los esposos cumplen su décimo aniversario de bodas. Están invitados los parientes, amigos y conocidos. La Sra. de Ramírez y su hija reciben a los invitados en la puerta de la casa. El salón está adornado con mucho gusto. La Sra. de Ramírez viste un fino vestido de color verde y su hija un vestido pantalón con blusa de encaje. Lleva zapatos bajos. La Sra. de Martínez llega con su esposo a la fiesta. Ella viste un elegante modelo color rosa y unos zapatos altos. El Sr. Martínez ha estrenado un traje negro; le cae a la perfección. Todos visten con elegancia. Comienza la fiesta con un bonito vals. Los esposos Ramírez empiezan el baile. Luego todos se unen para bailar. Los jóvenes piden a los músicos una pieza moderna y la alegría llena los rostros de todos ... . Ha sido una fiesta familiar muy bonita.

Preguntas

1. ¿Dónde es el baile?
2. ¿Qué aniversario cumplen los esposos Ramírez?
3. ¿Quiénes están invitados?
4. ¿Quiénes reciben a los invitados?
5. ¿Cómo está adornado el salón?
6. ¿Qué viste la Sra. de Ramírez?
7. ¿Cómo viste la hija de la Sra. de Ramírez?
8. Y la Sra. de Martínez, ¿cómo viste?
9. ¿Qué ha estrenado su esposo?
10. ¿Cómo empieza el baile?
11. ¿Qué piden los jóvenes?

Conversación Práctica

Use estas u otras expresiones semejantes, para estimular la conversación entre los estudiantes.

1. ¿Le gusta bailar a Ud.?
2. ¿Qué clase de bailes prefiere?
3. ¿Va Ud. a bailar con frecuencia?
4. ¿Le gustan los bailes familiares o de sociedad?

Imperfect Tense - Past Descriptive
Continuing Past action
eg I was walking down the street
when I ran into my brother and
we etc.

LECCION DIECISIETE

Sección I

Ejercicios de Conversación

Escriba en el pizarrón los siguientes números ordinales.

1ro.	Primero	6to.	Sexto
2do.	Segundo	7mo.	Séptimo
3ro.	Tercero	8vo.	Octavo
4to.	Cuarto	9no.	Noveno
5to.	Quinto	10mo.	Décimo

1. ¿Cuál es el primer mes del año?
   El primer mes del año es enero.

   Continúe con otros meses.

2. ¿Vive Ud. en un apartamento?
   Sí, vivo en un apartamento.

   No, no vivo en un apartamento.

3. ¿Vive él en un apartamento?
   Sí, vive en un apartamento.

   ella
   No, no vive en un apartamento.

4. ¿Cuántos pisos tiene el edificio?
   El edificio tiene ... pisos.

   su casa
   La casa tiene ... pisos.

5. ¿En qué piso vive Ud.?

   Vivo en el ... piso.

   ¿En qué piso está el baño?
   Está en el ... piso.

6. ¿En qué piso vive él? — ella
Vive en el ... piso.

Sección II

Ejercicios de Conversación

1. ¿Tiene Ud. un lápiz?
Sí, tengo uno.

2. ¿Qué más tiene Ud.?
Tengo un libro.

3. Ud. y el Sr. ... ¿tienen un lápiz? — y la Sra./Srta.
Sí, tenemos uno.

4. ¿Qué más tienen Uds.?
Tenemos un libro.

5. El Sr. ... y la Sra. ... ¿tienen un lápiz?
Sí, tienen uno.

6. ¿Qué más tienen ellos?
Tienen un libro.

Practique la Conversación Continuada

Ejercicios de Conversación

1. ¿Usan Uds. el lápiz para peinarse?
No, no lo usamos para peinarnos.

2. ¿Usan Uds. el lápiz para limpiarse los dientes?
No, no lo usamos para limpiarnos los dientes.

3. ¿Usan Uds. los libros para limpiarse los zapatos?
No, no los usamos para limpiarnos los zapatos.

4. ¿Para qué usan Uds. el lápiz?
Lo usamos para escribir.

5. ¿Para qué usan ellos el lápiz?
   Lo usan para escribir.

6. ¿Para qué usan Uds. los libros?
   Los usamos para aprender español.

7. ¿Para qué usan ellos los libros?
   Los usan para aprender español.

Practique los dos ejercicios anteriores con: pluma/billetera/llave/reloj/cuaderno/papel

Practique la Conversación Continuada

Nota estructural

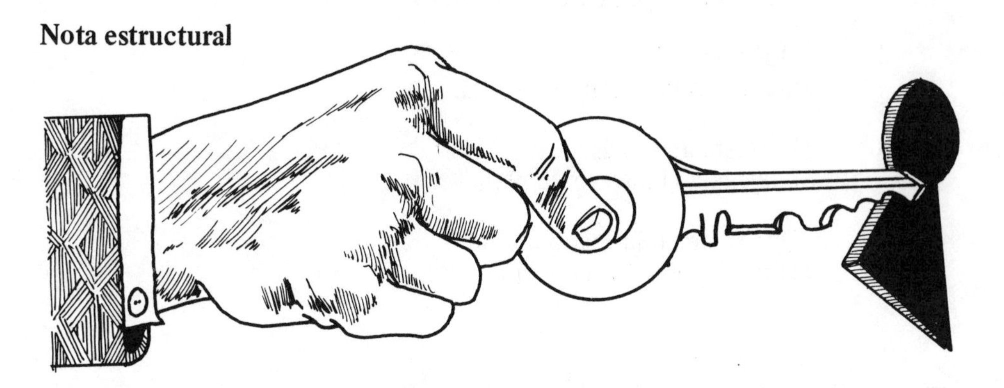

Una llave

Para abrir/Para cerrar

¿Qué es esto?
Es una llave.

¿Para qué usa Ud. la llave?
La uso para abrir y cerrar la puerta.

Unos lentes

Para leer/Para ver a distancia.

¿Qué es esto?
Son unos lentes.

¿Para qué usa Ud. los lentes?
Los uso para leer.
Los uso para ver a distancia.

Sección III

Ejercicios de Conversación

Vea las ilustraciones en la página 134

1. ¿Qué desea la señorita?
   Desea unas postales de la ciudad.

2. ¿Qué le gusta?
   Le gusta este cenicero.

3. ¿Qué mira ella?
   Mira una billetera muy bonita.

4. ¿Le gusta algo más?
   Sí, le gusta el llavero de plata.

5. ¿Qué tiene en la mano ahora?
   Tiene un pañuelo muy fino.

Practique la Conversación Continuada

Sección IV

Lectura

La Srta. Ramos está en una tienda de curiosidades. En la tienda hay muchas cosas bonitas. La empleada le enseña un cesto típico del país. Ella sigue mirando y ve un juego de fumador, pero ella no fuma el cigarrillo. En otra vitrina hay un bolso de cuero repujado; ella usa mucho el bolso para llevar sus cosméticos. Examina también unos pañuelos muy finos, pero ella no usa pañuelos para su cabeza. Ve un reloj. Necesita usar reloj para llegar a tiempo a su trabajo, y ella no tiene reloj. Compra también un paraguas; lo usa con frecuencia para no mojarse cuando sale a la calle.

Preguntas

1. ¿Dónde está la Srta. Ramos?
2. ¿Qué le enseña la empleada?
3. ¿Fuma la Srta.?
4. ¿Qué usa ella para llevar los cosméticos?
5. ¿Qué examina la señorita?
6. ¿Ella usa pañuelos para su cabeza?
7. ¿Qué necesita la Srta. Ramos?
8. ¿Para qué necesita usar el reloj?
9. ¿Qué más compra?
10. ¿Para qué usa ella el paraguas?

Conversación Práctica

Use estas u otras expresiones semejantes para estimular la conversación entre los estudiantes.

1. ¿Conoce alguna tienda de curiosidades?
2. ¿Dónde queda esa tienda?
3. ¿Le hace regalos a su familia?
4. ¿Le regala algo también a sus amigos?
5. ¿Le regalan a Ud. muchas cosas?
6. ¿Cuándo ha recibido algún regalo?
7. En su cumpleaños, ¿recibió algún regalo?

LECCION DIECIOCHO

Sección I

Ejercicios de Conversación

1.	¿Es ella la Sra. Gray? No, ella es la Sra.	Srta. .... .
2.	¿Conocía Ud. antes a la Sra. ...? No, no la conocía.	Sí, la conocía.
3.	¿Sabía Ud. el nombre de ella? No, no lo sabía.	Sí, lo sabía.
4.	¿Conocía él a la Sra ... ? No, no la conocía.	Sí, la conocía.
5.	¿Sabía él el nombre de la Sra. ...? No, no lo sabía.	ella Sí, lo sabía.
6.	¿Sabe Ud. ahora su nombre? Sí, ahora lo sé.	
7.	¿Sabe él ahora su nombre? Sí, ahora lo sabe.	ella

Practique la Conversación Continuada

Sección II

Ejercicios de Conversación

1. Deme su lápiz.
   ¿Puede Ud. escribir ahora?
   No, no puedo escribir.

2. ¿Por qué no puede escribir?
   Porque me falta el lápiz.

3. ¿Por qué no puede escribir él? — ella
   Porque le falta el lápiz.

4. Tome su lápiz.
   ¿Le falta el lápiz ahora?
   No, ahora tengo mi lápiz.

5. ¿Puede Ud. escribir ahora?
   Sí, ahora puedo escribir.

6. ¿Puede él escribir ahora? — ella
   Sí, ahora puede escribir.

7. ¿Qué le faltaba antes a Ud.?
   Me faltaba el lápiz.

8. ¿Qué le faltaba antes a él? — ella
   Le faltaba el lápiz.

Practique la Conversación Continuada

Ejercicios de Conversación

1. Ud. tiene el lápiz.
   ¿Qué más necesita para escribir?
   Necesito un papel.

2. Escriba Ud..
   ¿Por qué no escribe?
   Porque me falta papel.

3. Tome este papel.
   ¿De dónde saqué yo este papel?
   Lo sacó de su cuaderno.

4. ¿Saqué yo el papel de mi maletín?
   No, Ud. lo sacó de su cuaderno.

5. ¿Qué le faltaba antes a Ud.?
   Me faltaba el papel.

6. ¿Qué le faltaba antes a él?
   Le faltaba el papel.

7. ¿Necesita algo más?
   No, no necesito nada más.

Practique la Conversación Continuada

Sección III

Ejercicios de Conversación

Vea las ilustraciones en la página 135

1. ¿Qué le pasa al Sr. Gutiérrez?
   Está enfermo.

2. ¿Adónde fue?
   Fue a ver al médico.

3. ¿Qué hace el médico?
   Le toma el pulso y la temperatura.

4. ¿Qué le está dando ahora?
   Le está dando una receta.

5. ¿Qué está comprando el Sr. Gutiérrez?
   Está comprando una medicina.

6. ¿Qué le mandó el médico?
   Le mandó guardar cama y tomar la medicina.

Practique la Conversación Continuada

Sección IV

Lectura

El Sr. Smith habla con el Sr. Robinson sobre sus vacaciones en Méjico: "Estuve en Méjico un mes. El hotel estaba situado en una montaña. No me faltaba nada. Tenía una habitación muy bonita con un balcón. Me pasaba muchas horas en el balcón. Podía ver el río, que estaba muy cerca. Más lejos se oía el correr de los camiones por la autopista. Y a lo lejos podía ver las montañas llenas de bosques. Cuando me cansaba de estar en la habitación bajaba a la piscina del hotel; nadaba un rato y después subía otra vez a mi habitación. Me vestía y me iba a la calle. Me gustaba ver a la gente con sus trajes típicos, paseando por las calles. Por las noches me iba al cine o al teatro y volvía tarde al hotel. Me tomaba un café y a dormir. Esas fueron mis vacaciones".

Preguntas

1. ¿Dónde pasó sus vacaciones el Sr. Smith?
2. ¿Qué tenía la habitación?
3. ¿Qué se veía desde el balcón?
4. ¿Adónde bajaba con frecuencia?
5. ¿Qué hacía después de nadar?
6. ¿Adónde salía, después de vestirse?
7. ¿Qué le gustaba ver?
8. ¿Adónde iba por las noches?
9. ¿Qué tomaba antes de dormir?

Conversación Práctica

Use estas u otras expresiones semejantes para estimular la conversación entre los estudiantes.

1. ¿Dónde pasó Ud. sus últimas vacaciones?
2. ¿Cómo se llamaba el hotel?
3. ¿El hotel estaba en la ciudad?
4. ¿Su habitación era sencilla o doble?
5. ¿El hotel tenía piscina?
6. ¿Había alguna playa cerca?
7. ¿Iba Ud. a la playa?
8. ¿Se baña Ud. en la playa o en la piscina?

LECCION DIECINUEVE

Sección I

Ejercicios de Conversación

1. ¿Dónde está Ud.?
   Estoy en .... .
2. ¿Dónde está el? — ella
   Está en .... .
3. ¿A qué hora vino Ud.?
   Vine a las .... .
4. ¿A qué hora vino él? — ella
   Vino a las .... .
5. ¿A qué hora saldrá Ud.?
   Saldré a las .... .
6. ¿A qué hora saldrá él? — ella
   Saldrá a las .... .
7. ¿Qué día volverá Ud.?
   Volveré el .... .
8. ¿Qué día volverá él? — ella
   Volverá el .... .
9. ¿A qué hora vendrá Ud.?
   Vendré a las .... .
10. ¿A qué hora vendrá él? — ella
    Vendrá a las .... .

Practique la Conversación Continuada

Sección II

Ejercicios de Conversación

1. Pónganse de pie.
   ¿Están Uds. sentados?
   No, estamos de pie.

2. ¿Están ellos sentados? — ellas
   No, están de pie.

3. Salgan al pasillo.
   ¿Salieron Uds. a la calle?
   No, salimos al pasillo.

4. ¿Adónde salieron ellos? — ellas
   Salieron al pasillo.

5. ¿Qué hacen Uds. en el pasillo?
   No hacemos nada.

6. ¿Hacen algo ellos en el pasillo? — ellas
   No, no hacen nada.

7. ¿Por qué salieron Uds. al pasillo?
   Porque Ud. nos lo mandó.

8. ¿Por qué salieron ellos al pasillo? — ellas
   Porque Ud. se lo mandó.

Practique la Conversación Continuada

Ejercicios de Conversación

1. Entren en la clase.
   ¿Entraron Uds. en un avión?
   No, entramos en la clase.

2. ¿Entraron ellos en un autobús?
   No, entraron en la clase.

3. ¿Están Uds. sentados o de pie?
   Estamos de pie.

4. Siéntense y descansen.
   ¿Se sentaron Uds. en el suelo?
   No, no nos sentamos en el suelo.

5. ¿Se sentaron ellos en el suelo? — ellas
   No, no se sentaron en el suelo.

6. ¿Dónde se sentaron Uds.?
   Nos sentamos en las sillas.

7. ¿Dónde se sentaron ellos? — ellas
   Se sentaron en las sillas.

8. ¿Para qué se sentaron Uds.?
   Nos sentamos para descansar.

9. ¿Para qué se sentaron ellos? — ellas
   Se sentaron para descansar.

Practique la Conversación Continuada

Sección III

Ejercicios de Conversación

Vea las ilustraciones en la página 136

1. ¿Dónde está la Srta. Pérez?
   Está frente a un kiosco.

2. ¿Qué hay en el kiosco?
   Hay periódicos y revistas.

3. ¿Qué más hay en el kiosco?
   Hay también guías de la ciudad.

4. ¿Qué está mirando la Srta. Pérez?
   Está mirando un mapa de carreteras.

5. ¿Qué tiene en la mano ahora?
   Un mapa de la ciudad.

Practique la Conversación Continuada

Sección IV

Lectura

Nueva York, 10 de enero de 1971.

Sr. Angel García
Calle Colón #44-5
Bogotá, Colombia.

Estimado amigo Sr. García:

Recibí su atenta carta, que fue para mí de gran alegría. Ante todo le diré que no he olvidado su encargo. Lo compraré hoy mismo, porque saldré de compras esta tarde. No me olvidaré del regalo para su señora esposa.

Aprovecharé todo lo posible mi estancia en Nueva York para cumplir con los encargos que me hicieron los amigos. Pasado mañana saldré hacia Chicago. Allí estaré solamente unos días. Al regreso visitaré la ciudad de Miami porque no la conozco.

Volveré a Bogotá a primeros de septiembre. Nos veremos pronto de nuevo, porque este viaje será muy corto.

Sin más por el momento y con mis saludos para su esposa quedo a sus gratas órdenes,

Cordialmente,

Juan Guzmán

Preguntas

1. ¿A quién escribe el Sr. Guzmán?
2. El Sr. Guzmán, ¿ha olvidado su encargo?

3. ¿Cuándo lo comprará?

4. ¿Qué comprará para la esposa del Sr. García?

5. ¿Cuándo saldrá de compras?

6. ¿Para qué aprovechará su estancia en Nueva York?

7. ¿Cuándo saldrá hacia Chicago?

8. ¿Qué ciudad visitará?

9. ¿Su viaje será largo o corto?

10. ¿A quién envía saludos?

Conversación Práctica

Use estas u otras expresiones semejantes para estimular la conversación entre los estudiantes.

1. ¿Escribe Ud. cartas con frecuencia?

2. ¿Escribe Ud. a su familia?

3. ¿Le escriben a Ud. algunos amigos?

4. ¿Escribe Ud. sus cartas de negocios?

5. ¿Escribe Ud. mucha correspondencia?

6. ¿Qué cartas escribe su secretaria?

7. ¿Dicta Ud. todas las cartas a su secretaria?

LECCION VEINTE

Sección I

Ejercicios de Conversación

1. ¿Cómo se llama Ud.?
   Me llamo ... .

2. ¿De dónde es Ud.?
   Soy de ... .

3. ¿Es Ud. casado o soltero?
   Soy ... .

4. ¿Cuándo se casó Ud.?
   Me casé hace ... años.

5. ¿Cuántos hijos tiene Ud.?
   Tengo ... hijos.

6. ¿Cuántos años tienen sus hijos?
   Tienen ... años.

7. ¿Dónde vive Ud.?
   Vivo en ... .

8. ¿Dónde trabaja Ud.?
   Trabajo en ... .

9. ¿Habla Ud. español?
   Sí, hablo un poco de español.

10. ¿Qué otros idiomas habla?
    Hablo ... .

Practique todos estos ejercicios con: él/ella/Uds./nosotros

Sección II

Ejercicios de Conversación

1. Vayan fuera de la clase.
   ¿Adónde van Uds.?
   Vamos fuera de la clase.

2. Sigan, por favor.
   ¿Dónde están ellos? — ellas
   Están fuera de la clase.

3. ¿Están Uds. dentro de la clase?
   No, estamos fuera.

4. Entren y siéntense.
   ¿Dónde están Uds. ahora?
   Estamos dentro de la clase.

5. ¿Están ellos dentro de la clase? — ellas
   Sí, ellos están dentro.

6. Antes, ¿ellos estaban dentro? — ellas
   No, antes estaban fuera.

7. ¿Antes, estaban Uds. dentro?
   No, antes estábamos fuera.

Practique la Conversación Continuada

Ejercicios de Conversación

1. La silla, ¿está delante de Ud.?
   No, la silla está detrás de mí.

2. La silla, ¿está delante de él? — ella
   No, la silla está detrás de él. — ella

3. La silla, ¿está detrás de mí?
   No, la silla está delante de Ud.

Siga practicando con: fuera/dentro ... Instituto/oficina/salón/
delante/detrás ... puerta/pared/mesa

Sección III

Ejercicios de Conversación

1. ¿Qué quiere decir esta señal?
   En la carretera hay un paso nivel.

2. ¿Qué significa ésta?
   Una elevación de carretera.

3. ¿Qué representa esta señal?
   Una depresión en la carretera.

4. ¿Qué significa este toro?
   Paso de zona de ganado.

5. ¿Se puede doblar a la izquierda?
   No, está prohibido doblar a la izquierda.

6. ¿Puede virar en U?
   No, está prohibido virar en U.

7. ¿Sabe qué dice esta flecha?
   Sí, que la entrada está prohibida.

8. ¿Qué significa esta E?
   Que Ud. no puede estacionar.

9. ¿Para qué es esta flecha?
   Para dirección única.

Sección IV

Lectura

El Sr. Martínez, profesor de español, da unos consejos a sus estudiantes: "Con esta clase terminamos nuestro primer curso de español. Tal vez les ha parecido muy simple el vocabulario. Yo les pregunto: ¿cómo aprende un niño a hablar? Repite palabras y más palabras, sin poderlas entender. Poco a poco asocia los sonidos a las ideas y aprende a hablar. Uds. tienen la base para poderse expresar. La estructura está formada. Es necesario completar el edificio. ¿Cómo? Más estudio, más paciencia y más comunicación. Lea los periódicos, escuche radio y vea televisión, o tome un curso avanzado. Un maestro es lo mejor; él le llevará de la mano en el progreso de su español, aumentando su vocabulario, ejercitando su lengua, ayudando a su oído. Y así, en poco tiempo más, hablará sin miedo y sin error el idioma español."

Preguntas

1. ¿Quién habla a los estudiantes?
2. ¿Es ésta la última clase?
3. ¿Qué les pareció el vocabulario?
4. ¿Cómo aprende un niño a hablar?
5. ¿Qué tienen ya los estudiantes para poder hablar?
6. ¿Está terminado el edificio de "La Lengua"?
7. ¿Cómo terminarlo?
8. ¿Qué deben hacer en sus casas?
9. ¿Qué es lo mejor?
10. ¿Cómo le ayudará el maestro?

Conversación Práctica

1. ¿Es fácil o es dificil el español para Ud.?
2. ¿Puede preguntar en la calle?
3. ¿Qué le cuesta más?
4. ¿Entiende al profesor?
5. ¿Puede entender los anuncios en las tiendas?
6. ¿Entiende a las personas en la calle?
7. ¿Le gusta el español?
8. ¿Cómo aprenderá más?

ILUSTRACIONES

PASAPORTE
URUGUAY

PASAPORTE
URUGUAY
SR. RAMIREZ
PASAPORTE
PERU
SRA. DE MARTINEZ

NEW YORK
NON-STOP
ACAPULCO,
MEXICO
NY-
ACAPULCO
3
AMERICAN
EXPRESS
5
GONZALEZ
1
SRA. de PEREZ

1
DIEZ
10
CENTAVOS
3
5
FIVE
5
5
EL DIARIO
10 cts.
5

Banco de Credito
Sr. Ramírez
VENTA DE
DOLARES
4,50 BOLIVARS/
$1.00 EE.UU.

UNA PESETA

ESTADOS UNIDOS MEXICANOS
UN PESO 1961

REPUBLICA DE VENEZUELA
UN BOLIVAR 1960

BANCO DE GUATEMALA
1
1
1
1
UN QUETZAL
BANCO CENTRAL
DE LA
REPUBLICA ARGENTINA
UN
PESO
1
1

SR. PEREZ
AEROPUER
SRA. DE
MUÑERA

ROPA DE CABALLEROS
90 PESOS
Precios Rebajados
18 PESOS

1
3
2
4
5

ADUANA
INSPECTOR GARCIA
TABACO
CIGARRILLOS

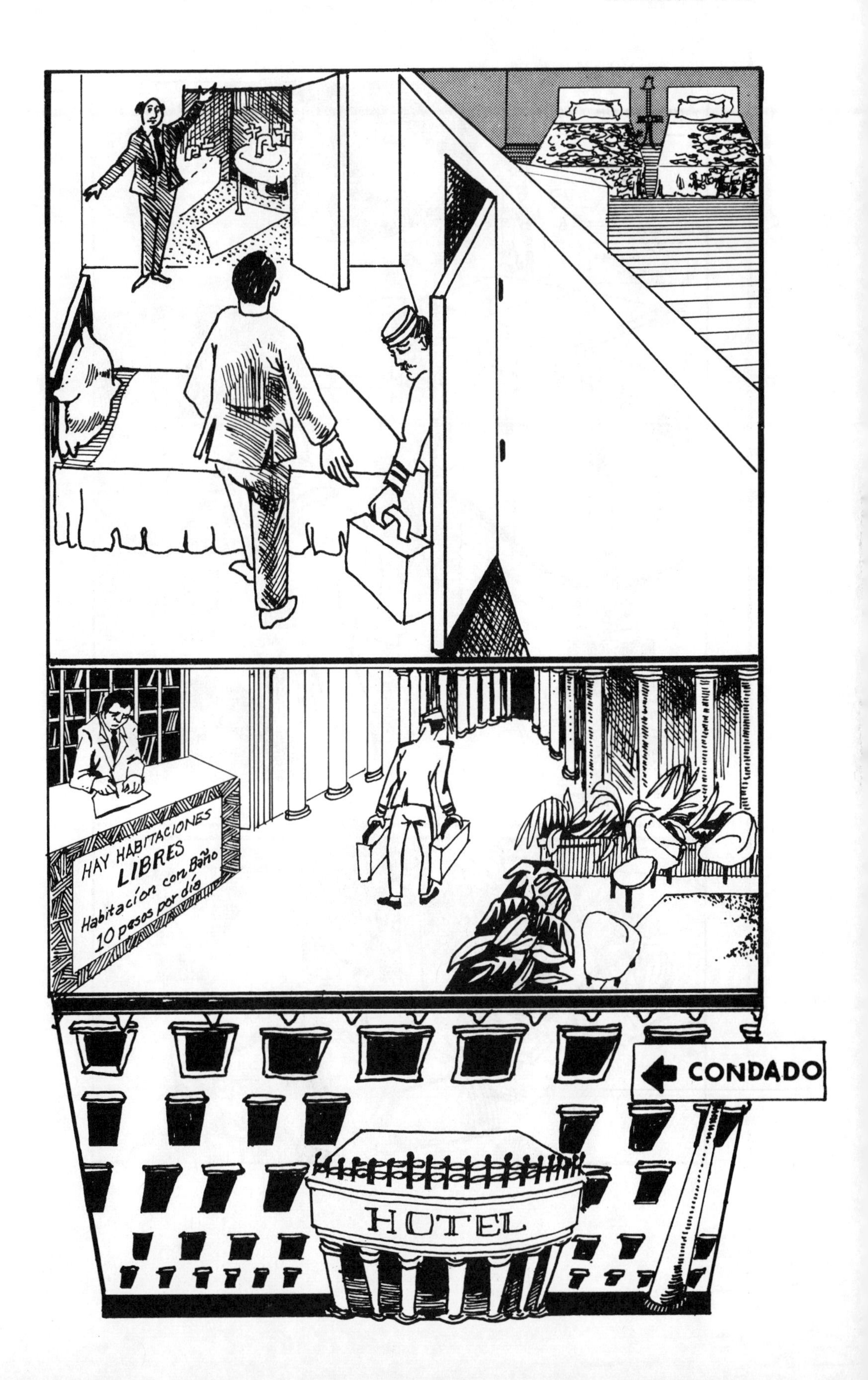
HAY HABITACIONES
LIBRES
Habitación con Baño
10 pesos por día
CONDADO
HOTEL

Agencia de Alquilar de COCHES
300 pesetas por día
Sra. de Ramírez
LLENA
ACEITE
ACEITE
ACEITE
60 kph
LICENCIA para CONDUCIR

4
GIROS POSTALES
6
CARTAS CERTIFICADAS
PAQUETES ASEGURADOS
5
LOCAL
EXTRANJERO
3
2
CALLE COLON
OFICINA de CORREOS
1

4

EL CID
1
ENTRADA
2 pesos
3
2
5
SESION I
7,00 pm
SESION II
10,00 pm

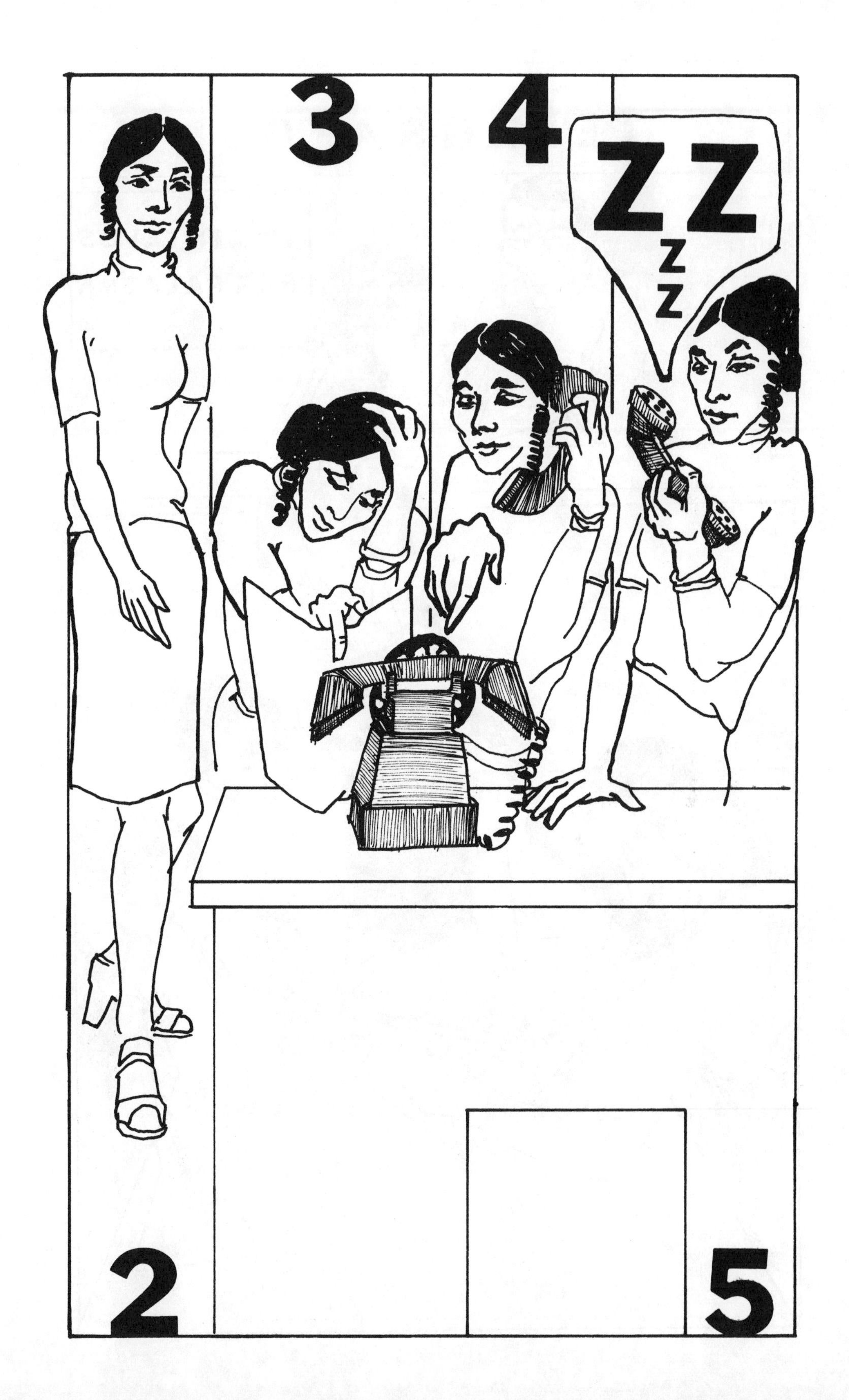
3
4
ZZ
Z
Z
2
5

TELEGRAFOS
13 CENTAVOS
POR PALABRA
5
4
2
3
PADRE

3
1
4
5

TIENDA DE RECUERDOS
1
2
3
4
5

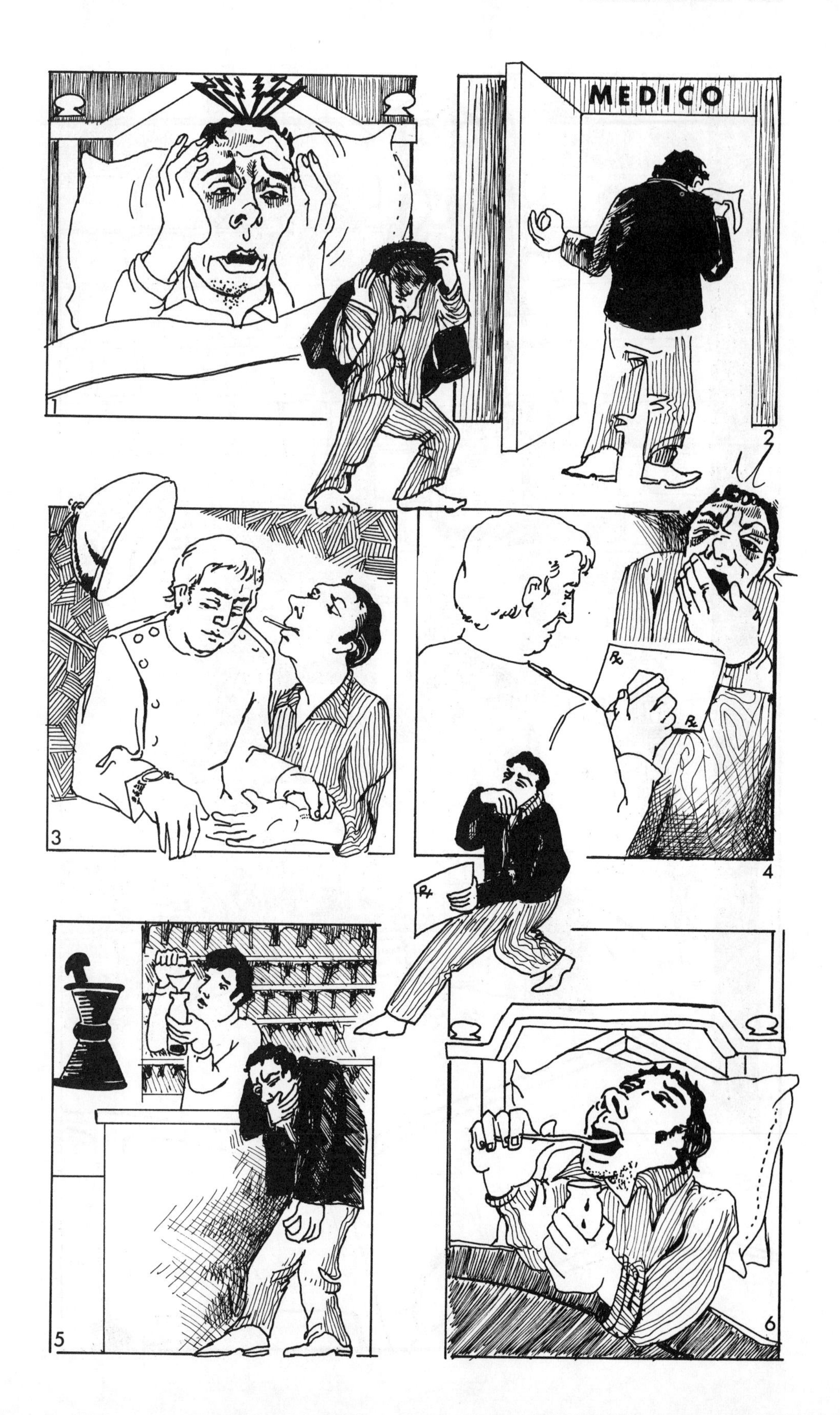
MEDICO
1
2
3
4
5
6

EL DIARIO
EL TIEMPO
PERIODICOS Y REVISTAS
GUIAS de la CIUDAD
GUIA
GUIA
GUIA
GUIA
MAPA DE LA CIUDAD
CARRETERAS
KENA
CLAUDIA
EL GRAFICO
Cromos
PRIMERA PLANA
Srta. Pérez

RESUMEN

GRAMATICAL

ADJETIVOS

Adjetivos que terminan en "o"

	Masculino	Femenino
Singular	hombre alto	mujer alta
Plural	hombres altos	mujeres altas

Adjetivos que terminan en "e"

	Masculino	Femenino
Singular	hombre inteligente	mujer inteligente
Plural	hombres inteligentes	mujeres inteligentes

Adjetivos que terminan en consonante

	Masculino	Femenino
Singular	hijo menor	hija menor
Plural	hijos menores	hijas menores

Adjetivos de nacionalidad

	Masculino	Femenino
Singular	señor francés	señora francesa
Plural	señores franceses	señoras francesas

Adjetivos que suprimen la "o" final ante un nombre singular masculino

alguno	algún alumno	primero	primer alumno
bueno	buen alumno	tercero	tercer alumno
malo	mal alumno	ninguno	ningún alumno

Posesivos

Antes del nombre

	Masculino	Femenino
Singular	mi hijo	mi hija
	tu hijo	tu hija
	su hijo	su hija
	nuestro hijo	nuestra hija
	vuestro hijo	vuestra hija
	su hijo	su hija
Plural	mis hijos	mis hijas
	tus hijos	tus hijas
	sus hijos	sus hijas
	nuestros hijos	nuestras hijas
	vuestros hijos	vuestras hijas
	sus hijos	sus hijas

Después del nombre

	Masculino	Femenino
Singular	hijo mío	hija mía
	hijo tuyo	hija tuya
	hijo suyo	hija suya
	hijo nuestro	hija nuestra
	hijo vuestro	hija vuestra
	hijo suyo	hija suya
Plural	hijos míos	hijas mías
	hijos tuyos	hijas tuyas
	hijos suyos	hijas suyas
	hijos nuestros	hijas nuestras
	hijos vuestros	hijas vuestras
	hijos suyos	hijas suyas

Demonstrativos

	Masculino		Femenino	
Singular	este	alumno	esta	alumna
	ese	alumno	esa	alumna
	aquel	alumno	aquella	alumna
Plural	estos	alumnos	estas	alumnas
	esos	alumnos	esas	alumnas
	aquellos	alumnos	aquellas	alumnas

Demostrativo: Neutro

esto	eso	aquello

COMPARATIVOS

1. De igualdad

tan +	**adjetivo** / **adverbio**	+ **como**

Ejemplos: Soy *tan* alto *como* ella.
Vivo *tan* lejos *como* él.

tanto, a + (nombre singular) + **como**

tantos, tantas + (nombre plural) + **como**

Ejemplos: *Tanto* Juan *como* Pedro son buenos.
En la fiesta hay *tantos* hombres *como* mujeres.

tanto + como

Ejemplo: Nadie sufre *tanto como* yo.

2. De desigualdad

más . . . . **que**

menos . . . . **que**

Ejemplos: Tengo *más* dinero *que* Ud.
Tengo *menos* dinero *que* ella.

3. Comparativos de forma especial

bueno	*mejor*	bajo (calidad)	*inferior*
malo	*peor*	grande	*mayor*
alto (calidad)	*superior*	pequeño	*menor*

ADVERBIOS

(más usados)

Bien
Mal
Así
Donde
Aquí
Allí
Ahí
Cerca
Lejos
Arriba
Abajo
Delante
Detrás
Hacia atrás
Hacia adelante
Encima
Debajo
En todas partes
Dentro
Fuera
Acá
Allá
Apenas
A la vez
En frente
Por encima
Por debajo
Cuando
Hoy
Ayer
Mañana
Pronto
Tarde
Temprano
Entonces
Antes
Después
De prisa
A menudo
De repente
Nunca
Siempre
Alguna vez
En seguida
Ahora
Poco a poco
Cada vez más
Demasiado
Casi
Menos
Nada
Luego
Ante todo
En fín
Sí
En primer lugar
Primeramente
Completamente
Por la derecha
Por la izquierda
Quizá
Finalmente

ARTICULOS

Definidos

	Masculino	Femenino
Singular	el niño	la niña
Plural	los niños	las niñas

Indefinidos

	Masculino	Femenino
Singular	un niño	una niña
Plural	unos niños	unas niñas

Contracción del artículo definido

a + el = al – Voy al cine.
de + el = del – Vengo del cine.

PRONOMBRES

1. Sujeto

		1	2	3	
Singular	Masculino	yo	tú	él	Ud.
	Femenino	yo	tú	ella	Ud.
Plural	Masculino	nosotros	vosotros	ellos	Uds.
	Femenino	nosotras	vosotras	ellas	Uds.

Ejemplos: *Yo* escribo en mi cuaderno.
El es el profesor.
Nosotros somos estudiantes.
Ellas estudian en el Instituto.

2. Complemento Directo

		1	2	3
Singular	Masculino	me	te	lo
	Femenino	me	te	la
Plural	Masculino	nos	os	los
	Femenino	nos	os	las

Ejemplos: El Sr. Ramírez *me* ayuda.
Sus padres *la* ven con frecuencia.
A él *lo* visitan con frecuencia.

3. Complemento Indirecto

		1	2	3
Singular	Masculino y femenino	me	te	le
Plural	" "	nos	os	les

Ejemplos: *Me* regalaron unas flores.
Le dejaron un libro.
Nos ofrecieron un cigarrillo.

Nota: "Se" substituye a *"le y les"* delante de *lo, los, la, las.*

Ejemplo: ¿A quién le dio Ud. el libro?
Se lo di a Ud.

Pronombres precedidos de una preposición

		1	2	3	
Singular	Masculino	mí	tí	él	Ud.
	Femenino	"	"	ella	"
Plural	Masculino	nosotros	vosotros	ellos	Uds.
	Femenino	nosotras	vosotras	ellas	Uds.

Preposiciones

a/ante/bajo/con/contra/de/desde/en/entre/
hacia/hasta/para/por/según/sin/sobre/tras

Ejemplos: Vive *con nosotros.*
Lo hago *por tí.*
La responsabilidad recae *sobre ellos.*
Vino *hacia mí.*
No nos vamos *sin él.*

Pronombres Reflexivos

		1	2	3
Singular	Masculino y femenino	me	te	se
Plural	” ”	nos	os	se

Ejemplos: Yo *me levanto* a las seis de la mañana.
El *se acuesta* a las diez de la noche.
Nosotros *nos sentamos* en la silla.

Pronombres Interrogativos

Singular	qué	quién	cuánto	cuál
Plural		quiénes	cuántos	cuáles

Ejemplos: No supo *qué* contestar.
No sabía *cuánto* costaba el viaje.
Díme *cuál* prefieres.

AFIRMACION Y NEGACION

sí	no
algo	nada
alguien	nadie
alguno	ninguno
alguna vez	nunca, jamás
también	tampoco
o....o....	ni....ni....

VERBOS

Ser y Estar

1. **Nombre frase + ser + Nombre frase**

   "El maestro *es* el Sr. Pérez."

2. **Nombre frase + estar + Localización**

   " El maestro *está* aqui."

3. **Nombre frase + ser + Procedencia o Destino**

   "El regalo *es* para el maestro."
   "La carta *es* de mi padre."

4. **Nombre frase + ser + Tiempo o Lugar**

   "La película *es* a las ocho."
   "El baile *es* en casa de Pedro."

5. **Nombre frase + ser + Adjetivo**
   (cualidad permanente)

   "Mi hija *es* bonita."

6. **Nombre frase + estar + Adjetivo**
   (cualidad circunstancial)

   "Mi hija *está* bonita en la foto."

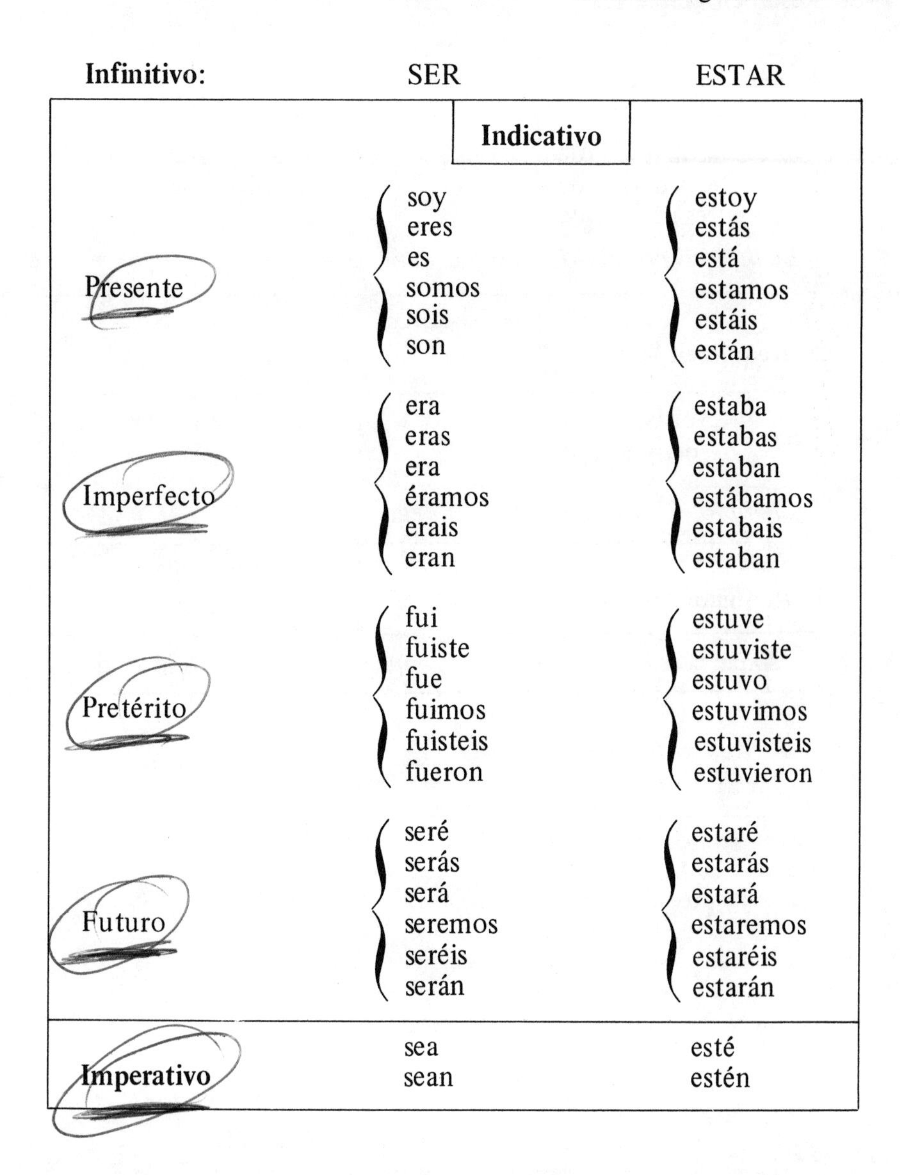

Infinitivo:	SER	ESTAR
	Indicativo	
Presente	soy	estoy
	eres	estás
	es	está
	somos	estamos
	sois	estáis
	son	están
Imperfecto	era	estaba
	eras	estabas
	era	estaban
	éramos	estábamos
	erais	estabais
	eran	estaban
Pretérito	fui	estuve
	fuiste	estuviste
	fue	estuvo
	fuimos	estuvimos
	fuisteis	estuvisteis
	fueron	estuvieron
Futuro	seré	estaré
	serás	estarás
	será	estará
	seremos	estaremos
	seréis	estaréis
	serán	estarán
Imperativo	sea	esté
	sean	estén

Verbos que requieren una preposición ante un infinitivo

1. Requieren "a"

aprender	a	entrar	a
ayudar	a	ir(se)	a
comenzar	a	ponerse	a
continuar	a	salir	a
empezar	a	venir	a
enseñar	a		

Ejemplo: Aprendió a hablar pronto el español.

2. Requieren "de"

acabar	de	dejar	de
acordarse	de	terminar	de
cesar	de	tratar	de

Ejemplo: Terminó de estudiar muy tarde.

3. Requieren "en"

insistir	en	retrasarse	en
pensar	en	tardar	en

Ejemplo: El autobús *tardó en* llegar.

4. Requiere "con"

soñar con *Ejemplo: Soñé con* hacer un viaje a Méjico.

Tiempos Simples

Regulares

Infinitivo: Hablar Comer Vivir

Indicativo

	Hablar	Comer	Vivir
Presente:	habl- { o, as, a, amos, áis, an	com- { o, es, e, emos, éis, en	viv- { o, es, e, imos, ís, en
Imperfecto:	habl- { aba, abas, aba, ábamos, abais, aban	com- / viv- { ía, ías, ía, íamos, íais, ían	
Pretérito:	habl- { é, aste, ó, amos, asteis, aron	com- / viv- { í, iste, ió, imos, isteis, ieron	
Futuro:	hablar- { é, ás, á, emos, éis, án	comer- / vivir- { é, ás, á, emos, éis, án	
Imperativo:	hable, hablen	com- / viv- { a, an	

Tiempos compuestos

Indicativo

Pretérito Perfecto	he has ha hemos habéis han	hablado	comido vivido
Pretérito Pluscuamperfecto	había habías había habíamos habíais habían	hablado	comido vivido
Pretérito Anterior	hube hubiste hubo hubimos hubisteis hubieron	hablado	comido vivido
Futuro Perfecto	habré habrás habrá habremos habréis habrán	hablado	comido vivido

Tiempos progresivos

	Indicativo		
Presente	estoy estás está estamos estáis están	hablando	comiendo viviendo
Pretérito Imperfecto	estaba estabas estaba estábamos estabais estaban	hablando	comiendo viviendo
Pretérito Indefinido	estuve estuviste estuvo estuvimos estuvisteis estuvieron	hablando	comiendo viviendo
Futuro Imperfecto	estaré estarás estará estaremos estaréis estarán	hablando	comiendo viviendo

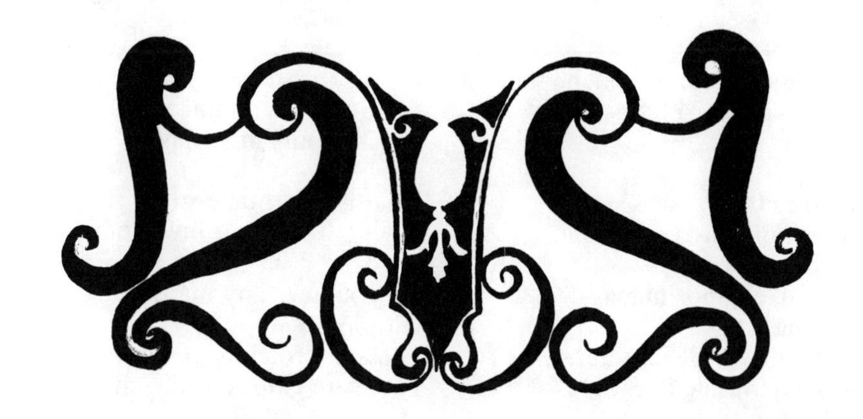

EXPRESIONES Y PREGUNTAS
útiles para viajeros

EN LA AGENCIA DE PASAJES	IN THE TRAVEL AGENCY
Buenos días.	Good morning.
Deseo viajar a Colombia.	I wish to go to Columbia.
Prefiero ir en avión, si es posible.	I prefer to go by plane, if possible.
Quiero salir la semana próxima.	I want to leave next week.
Deseo un pasaje de ida y vuelta.	I want a round-trip ticket.
¿Quiere un viaje con hoteles incluídos?	Do you want a trip with hotels included?
Sí, con hoteles de segunda.	Yes, economy hotels.
¿Tiene el pasaporte al día?	Is your passport valid?
Mañana me darán el visado.	Tomorrow they will give me the visa.
Si por alguna razón no puede salir debe avisarnos 24 horas antes.	If for some reason you are not able to go, you must notify us 24 hours in advance.
¿Cuánto es todo?	What is the total cost?
En unos momentos se lo diré.	I will tell you in a few moments.
¿Tiene Ud. algunos mapas de Colombia?	Do you have any maps of Colombia?
Estos son mapas de carreteras.	These are road maps.
Estas, son guías de la ciudad.	These are guides to the city.
¿Cuándo puedo pasar a recoger el billete?	When can I stop by to pick up the ticket?
Puede venir esta tarde.	You may come this afternoon.

ABORDANDO EL AVION	BOARDING THE AIRPLANE
Su pasaporte, por favor.	Your passport, please.
¿Su equipaje?	Your baggage?
Solamente esta maleta.	Only this bag.
¿Tiene exceso de peso?	Is it overweight?
No, está bien.	No, it is all right.
¿A qué hora subimos al avión?	At what time do we board the plane?
Le avisaremos por los autoparlantes.	We will announce it over the loudspeakers.
Debe estar una hora antes de la salida.	You should be there one hour before departure.
¿Dónde queda mi asiento, por favor?	Where is my seat, please?
Sígame, por favor.	Follow me, please.
¿A qué hora llegamos?	At what time do we arrive?
¿Puede traerme un coñac, por favor?	Can you bring me some brandy please?
¿Cuánto es?	How much?

EN LAS ADUANAS

¿Es éste su equipaje, señor?
Sí, solamente esta maleta.
¿Quiere abrirla?
¿Tiene algo que declarar?
Sí, un radio transistor, una botella de licor, unos cigarrillos, una máquina de escribir.
¿Puedo ya cerrar mi maleta?
Permítame su pasaporte.
Aquí está.
¿Eso es todo?
¿Dónde está la salida, por favor?
Siga aquella indicación.

GOING THROUGH CUSTOMS

Is this your baggage, sir?
Yes, only this bag.
Do you want to open it?
Do you have anything to declare?
Yes, a transistor radio, a bottle of liquor, some cigarettes and a typewriter.
May I close my bag?
May I see your passport?
Here it is.
Is that all?
Where is the exit, please?
Follow that sign.

LLAMANDO UN TAXI

¿Está libre?
¿Puede llevarme al Hotel Miramar?
Vaya por el camino más corto.
¿Cuánto tardamos en llegar?
Sólo unos minutos.
¿Cuánto es?
Quédese con la vuelta.
Gracias.

GETTING A TAXI

Are you free?
Can you take me to the Miramar Hotel?
Go by the shortest route.
How long will it take to get there?
Only a few minutes.
How much?
Keep the change.
Thank you.

EN EL HOTEL

Su identificación.
Aquí está mi pasaporte.
¿Cuál es su equipaje?
Estas dos maletas.
¿Desea un cuarto sencillo o doble?
Lo deseo sencillo.
¿Lo desea con baño?
Sí, con baño.
Venga conmigo, por favor.
¿Le gusta éste?
¿Cuánto es por día?
¿Las comidas están incluídas?
¿A qué hora es la comida?
¿Dónde están mis maletas?
El mozo las sube en un momento.

IN THE HOTEL

Your identification.
Here is my passport.
Which is your baggage?
These two bags.
Do you want a single or double room?
I want a single room.
Do you want it with bath?
Yes, with a bathroom.
Come with me, please.
Do you like this?
How much per day?
Are meals included?
At what time is dinner served?
Where are my bags?
The bellhop will bring them up in a minute.

EL AUTOMOVIL	THE CAR
Deseo alquilar un automóvil.	I want to rent a car.
¿Por cuántos días?	For how many days?
Lo quiero para diez días.	I want it for ten days.
El alquiler es 350 pesetas por día, incluído kilometraje.	The rental is 350 pesetas ($5.00) per day including mileage.
¿Desea un automóvil americano o europeo?	Do you want an American or European car?
Lo prefiero europeo.	I prefer European.
Permítame su licencia de conducir.	May I see your driver's license?
Necesita licencia internacional.	You need an international license.
¿Dónde puedo conseguirla?	Where can I get one?
Nosotros se la conseguimos.	We will get it for you.
¿Cuándo puedo llevarme el automóvil?	When can I take the car?
Pase mañana a recogerlo.	Come tomorrow to get it.
Llene el tanque de gasolina, por favor.	Fill the gasoline tank, please.
Revise las ruedas y el tanque del agua.	Check the tires and water.
Mire el aceite del motor.	Check the oil.
¿Cuál es la velocidad máxima en esta carretera?	What is the maximum speed limit on this highway?
¿A qué distancia está el primer parador?	Where is the nearest motel?
¿Es buena la carretera?	Is the highway good?
Tiene bastantes curvas, guíe con cuidado.	It has many curves, drive carefully.

EN UN TELEFONO	THE TELEPHONE
¿Es la operadora?	Operator?
Sí, dígame.	Yes, number please.
Deseo una conferencia con el número ...	I want number ...
¿De teléfono a teléfono o de persona a persona?	Will you speak to anyone or is it person-to-person?
De persona a persona, por favor.	Person-to-person, please.
Señor, Ud. está en linea, hable.	I have your party, go ahead.
Habla el Sr. X, ¿con quién hablo?	Mr. X speaking. With whom am I speaking?
Habla con la Srta. Rodríguez, ¿con quién desea hablar?	Miss Rodriguez speaking. With whom do you wish to speak?
Deseo hablar con el Sr. Benítez.	I want to speak to Mr. Benítez.
Un momento.	One moment.
Habla el Sr. Benítez.	Mr. Benítez speaking.

EN CORREOS

AT THE POST OFFICE

¿Puede decirme dónde queda correos?	Can you tell me where the post office is?
Necesito tres sobres de avión.	I need three airmail envelopes.
Deme, además, tres estampillas para los EE. UU.	Give me three stamps for the United States.
Certifique esta carta, por favor.	Register this letter, please.
¿Puedo asegurar este paquete?	Can I insure this package?
¿Cuánto es el franqueo para la Argentina?	How much is the postage for Argentina?

TELEGRAFOS

THE TELEGRAPH OFFICE

¿A qué hora abren en telégrafos?	At what time does the Telegraph Office open?
¿Está muy lejos de aquí?	Is it far from here?
Deseo mandar un telegrama.	I want to send a telegram.
Tome este blanco y llénelo.	Take this blank and fill it out.
¿Qué debo poner en él?	What should I put on it?
Dirección de la persona a quién se lo manda, texto del telegrama, y su firma.	The address of the person to whom you are sending it, the text of the telegram and your signature.
¿Necesita Ud. mi dirección?	Do you need my address?
Por supuesto, póngala aquí.	Surely, put it here.
¿Quiere un telegrama urgente?	Do you want an urgent telegram?
No, basta con carta nocturna.	No, a night letter will do.
¿Cuándo la recibirán?	When will they receive it?
¿Cuánto es por palabra?	How much per word?

EN EL BANCO

THE BANK

¿Dónde está el Banco más próximo?	Where is the nearest bank?
¿Cambian moneda extranjera?	Do they have a foreign money exchange?
¿A cuánto está el cambio?	What is the rate of exchange?
¿Puedo cambiar dólares aquí?	Can I change dollars here?
Sí, en aquella ventanilla.	Yes, at the other window.
¿Necesita mi pasaporte?	Do you need my passport?
¿Tengo que llenar algún otro papel?	Do I have to fill out another paper?
¿Puedo comprar dólares aquí?	Can I exchange for dollars here?
¿En qué otro sitio puedo cambiar dólares?	Where else can I exchange for dollars?

RESTAURANTE	THE RESTAURANT
Camarero, una mesa para cuatro.	Waiter, a table for four.
¿Tiene el menú, por favor?	Do you have a menu please?
¿Cuál es la especialidad de la casa?	What is the specialty of the house?
Deseo tomar una paella.	I want a "paella".
La señora desea una chuleta de ternera con patatas fritas.	The lady wants veal chops with French fries.
Mi compañero desea arroz a la valenciana.	My companion wants rice "a la valenciana".
La señora desea arroz con pollo.	The lady wants chicken with rice.
Para beber, tráiganos dos cervezas y dos limonadas.	Bring us two beers and two lemonades to drink.
Camarero, tráiganos un plato, un tenedor y una servilleta.	Waiter, bring us a plate, a knife and a napkin.
Para postre, traiga un helado de fresa.	For dessert, strawberry ice cream.
Camarero, la cuenta, por favor.	Waiter, the check, please.
¿Le pago a Ud.?	Do I pay you?
No, pague en la caja registradora.	No, pay at the register.

AUTOBUS–METRO	THE BUS AND THE SUBWAY
¿Puede decirme dónde está la parada del autobús?	Can you tell me where the bus stop is?
¿Adónde va Ud.?	Where are you going?
Voy a la Plaza Mayor.	I am going to the Plaza Mayor.
Tome el próximo, en la esquina siguiente.	Take the first bus on the next corner.
¿Adónde va este autobús?	Where does this bus go?
¿Tiene parada en la Puerta del Sol?	Does it stop at Puerta del Sol?
¿Debo avisarle para bajarme?	Should I signal to get off?
Sí, toque el timbre.	Yes, ring the bell.
¿Queda muy lejos la estación del metro?	Is the subway station far from here?
¿Me lleva este metro a la calle Cristina?	Will this subway take me to Cristina Street?
¿Dónde tengo que hacer cambio?	Where do I have to change?
La estación, ¿tiene varios pisos?	Does the station have various levels?
¿Este metro para en todas la estaciones?	Does this subway stop at all stations?
¿Cuánto tarda hasta la calle Colón?	How long does it take to go to Colón Street?
¿Dónde tengo que bajarme?	Where do I get off?

MUSEOS–MONUMENTOS–PARQUES	MUSEUMS–MONUMENTS–PARKS
¿Qué museos hay en esta ciudad?	What museums are there in this city?
¿Dónde queda el más importante?	Where is the most important one?
¿Cómo puedo ir hasta allá?	How can I get there?
¿Qué monumentos tienen interés turístico?	What monuments are most interesting to tourists?
¿Hay excursiones desde el hotel?	Are there excursions from the hotel?
¿A qué hora sale la excursión?	At what time does the excursion begin?
¿Qué monumentos visita?	What monuments are visited?
¿Hay algún parque bonito cerca?	Is there a pretty park near here?
¿Cómo llgar hasta allí?	How do you get there?
El Zoo, ¿está lejos?	Is it far to the zoo?
¿Tienen muchos animales domésticas y fieras?	Do they have many tame and wild animals?
¿Qué sitios de interés histórico puedo visitar?	What historic sites can I visit?
¿A qué horas están abiertos?	At what time do they open?
¿A qué hora cierran el museo de ... ?	At what times does the Museum of ... close?
¿Tiene Ud. una guía de la ciudad?	Do you have a guide to the city?
¿Tiene Ud. un mapa de autobuses?	Do you have a map of the bus routes?
¿Tiene Ud. un mapa del metro?	Do you have a subway map?

ESPECTACULOS	SHOWS
¿Qué espectáculos importantes hay hoy?	Are there any good shows today?
Para ello compre el periódico.	Buy the newspaper to find out.
¿Dónde puedo comprar el periódico?	Where can I buy the newspaper?
En la próxima esquina hay un kiosco.	On the next corner at the news-stand.
El periódico de hoy, por favor.	Today's paper, please.
¿Tiene algun periódico de espectáculos?	Do you have a theater guide?
Lo siento, se me terminaron.	I'm sorry, they are all gone.
¿Cuál es el mejor cine?	Which is the best movie theater?
¿Qué película presentan hoy?	What picture are they showing today?
¿A qué hora comienza la película?	At what time does the picture begin?
¿Dónde puedo comprar las entradas?	Where can I buy tickets?
¿Puede decirme dónde están estos asientos?	Can you tell me where these seats are?

Están en el centro. — They are in the center.
¿Están atrás o adelante? — Are they in the front or the back?
¿Qué teatro tiene función hoy? — What theater is open today?
¿Presentan algún drama o alguna comedia? — Are they presenting a drama or a comedy?
Presentan un drama. — They are presenting a drama.
¿De qué trata? — What is the theme?
¿Es muy larga la función? — Is the performance long?
¿Hay revista musical? — Is there a musical revue?
Deme dos localidades delanteras del primer piso. — Give me two front seats in the first balcony (level).
Estas localidades son muy atrás. — These seats are very far back.

CURIOSIDADES — SOUVENIRS

Quiero un regalo típico del país. — I want a souvenir typical of the country.
¿Le gusta esta cartera repujada? — Do you like this embossed wallet?
Sí, es muy bonita. — Yes, it is very pretty.
¿Tiene algo de fabricación manual? — Do you have something hand-made?
Aquí tiene esta estatua de Don Quijote. — Yes, here you have a statue of Don Quixote.
Quiero también un cenicero curioso. — I also want an unusual ashtray.
¿Qué precio tiene este juego de fumador? — What is the price of this smoking set?
¿Cuánto cuesta esta cámara? — How much does this camera cost?
¿Tiene algún juego labrado a mano? — Do you have a hand-carved set?
¿Tiene alguna cosa curiosa? — Do you have something different?
Esta cajita de música, estos platillos, estos encendedores, este espadín para cartas. — This music box, these small plates, these lighters, and this letter opener.
¿Cuánto le debo? — How much do I owe you?
Aquí tiene. — Here you are.
Gracias - Adiós. — Thank you, Goodbye.

LEMA

H – Haber aprendido
con esfuerzo y con valor,

A – el Arte de comunicarse
sin miedo y sin error.

B – Bién sabidas y aprendidas,
a fuerza de mucho tesón,

L – las ideas, que en su lengua
son fáciles de expresión,

A – ahora podrá expresarlas
también en el español,

R – repetido en muchas horas
de dura e intensa labor.

VOCABULARIO

a to; at; in
abajo down, below
abierto -a open
abrigo *m.* coat
abril *m.* April
abrir to open
acá here
acabar to finish
aceite *m.* oil
acera *f.* sidewalk
acercarse a to come close, to come up to
acompañar to accompany
acordarse de to remember
acostarse to go to bed
actividad *f.* activity
adelante forward
adiós good-bye
adornar to decorate
aduana *f.* customs
advertir to warn
aeropuerto *m.* airport
afeitar to shave
afirmar to state
agosto *m.* August
agradable – pleasant
agua *f.* water
ahí there
ahora now
aire *m.* air
al to the; at the
alcanzar to reach
alegría *f.* joy; festivity
alejarse de to go away from, to move away from
algo something
alguien someone
alguno -a any; one; anyone
algunos -as some
allá, allí there
almanaque *m.* almanac
almuerzo *m.* lunch
alquilar to rent
alquiler *m.* rent
alto -a tall; high
amable - kind
amarillo -a yellow
amigo *m.*, **amiga** *f.* friend
anillo *m.* ring
animación *f.* excitement
aniversario *m.* anniversary
anteayer day before yesterday
ante, antes before
anuncio *m.* advertisement
año *m.* year
apagar to turn off
aparecer to appear
apartamento *m.* apartment
apartarse to move away
apenas hardly
aprender to learn
aprovechar to take advantage of
aquel *m.*, **aquella** *f.* **aquello** *neut.* that
aquí here
árbol *m.* tree
arena *f.* sand
Argentina *f.* Argentina
arte *m.* art
arreglar to arrange; to fix
arriba up, above
arroz *m.* rice
asegurar to insure
así in this way
asiento *m.* seat
asociar to associate
atento -a courteous, considerate
atrás back; **hacia atrás** backward
aumentar to increase
aunque although
Australia *f.* Australia
autobús *m.* bus
autopista *f.* highway, turnpike
avanzado -a advanced
avión *m.* airplane
ayer yesterday
ayudar to help
azul - blue

bailar to dance
baile *m.* dance
bajar to go down; **bajar de** to get off, to get out of
bajo -a short
balance *m.* balance sheet
balcón *m.* balcony
baloncesto *m.* basketball
banco *m.* bank; bench
bañar to bathe; **bañarse** to take a bath
baño *m.* bath; bathroom
barato -a cheap, inexpensive
barco *m.* boat
barrio *m.* neighborhood, district
base *f.* base, basis
bastante rather; sufficient, enough
beber to drink
bien well
billete *m.* bill, bank note
billetera *f.* billfold
binoculares *m.pl.* binoculars
blanco -a white
blusa *f.* blouse
boda *f.* wedding
boleto *m.* ticket
bolígrafo *m.* ballpoint pen
bolívar *m.* currency of Venezuela
bolsillo *m.* pocket
bolso *m.* purse, pocketbook
bonito -a pretty; nice
bosque *m.* woods, forest

botella *f.* bottle
bueno -a good
buscar to look for
butaca *f.* armchair
buzón *m.* mailbox

caballero *m.* gentleman
cabeza *f.* head
caer to fall; to suit
café *m.* coffee
caja *f.* box
calcetín *m.* sock
cálculos *m.pl.* calculations
calendario *m.* calendar
calidad *f.* quality
calor *m.* heat
calle *f.* street
cama *f.* bed
cámara *f.* camera; chamber, room
camarero waiter; **camarera** waitress
cambiar to exchange, to change
cambio *m.* exchange, rate of exchange; change
camión *m.* truck
camisa *f.* shirt
campo *m.* country, rural area
Canadá *f.* Canada
cansar to tire; **cansarse** to get tired
capa *f.* cape
cara *f.* face
caro -a expensive
carpeta *f.* portfolio
carrera *f.* major field or course of studies
carretera *f.* main road, highway
carta *f.* letter
cartón *m.* carton
casa *f.* house
casado -a married
casarse to get married
castillo *m.* castle
celebrar to celebrate
cena *f.* supper, dinner
cenar to dine, to eat dinner
cenicero *m.* ashtray
centavo *m.* cent
central - central
centro *m.* center, middle
cerca close, near; **cerca de** close to
certificar to certify, to register
cerrar to close
cesar to cease, to stop
cesto *m.* basket, waste basket
cielo *m.* sky
cigarrillo *m.* cigarette
cine *m.* movies
circunstancial - circumstantial
ciudad *f.* city

claro -a clear
clase *f.* class, classroom; kind, type
cocina *f.* kitchen
coche *m.* car, automobile
colgar to hang
colocar to place
color *m.* color
combinar to combine; **combinar con** to match
comedor *m.* dining room
comenzar to begin
comer to eat
comida *f.* midday meal; food
como as
cómo how
completamente ·completely
completar to complete
completo -a complete, full
comprar to buy
compra *f.* purchase; **de compras** shopping
comunicación *f.* communication
comunicar to communicate
con with
conducir to drive
conocer to know, to be acquainted with
conocido *m.* **conocida** *f.* acquaintance
consejo *m.* advice
construcción *f.* construction, building
contable *m.* accountant
contar to count
contenido *m.* contents
contento -a happy, content
contestar to answer
continuar to continue
contra against
conversación *f.* conversation
copita *f.* (*dimin. of* **copa**) alcoholic drink
corbata *f.* necktie
cordialmente cordially
corredor *m.* corridor
corto -a short
correo *m.* mail; **correos** *m.* post office
correr to run
correspondencia *f.* correspondence, mail
corrida de toros *f.* bullfight
cosa *f.* thing
cosméticos *m.pl.* cosmetics
costar to cost
cts *m.pl.* (*abb. for* **centavos**) cents
cuaderno *m.* notebook
cuadro *m.* picture, painting
cuál which, what
cualidad *f.* quality
cuando when
cuánto -a how much
cuántos -as how many
cuarto *m.* room; quarter (*of an hour*); fourth

cuenta *f.* bill, check
cuero *m.* leather
cueva *f.* cave
cumpleaños *m.* birthday
cumplir to fulfill, to complete; **cumplir con** to fulfill, to carry out
curiosidad *f.* curiosity; **tienda de curiosidades** *f.* souvenir shop
curso *m.* course

cheque *m.* check

dar to give
de of; from
debajo de under
deber to have to (must)
decir to say; to tell
declarar to declare
dejar to leave; **dejar de** to stop, to cease
del of the
delante in front, ahead; **hacia delante** forward
demasiado too, too much
dentro inside, within
dependiente *m.* clerk
deporte *m.* sport
depresión *f.* downgrade
derecha *f.* right
desayunar to eat breakfast
desayuno *m.* breakfast
descansar to rest
desde from; since
desear to want; to wish
desfilar to march
desigualdad *f.* inequality
despertador *m.* alarm clock
después after
detrás de behind
día *m.* day
diario *m.* daily newspaper
diciembre December
dictar to dictate
diente *m.* tooth
difícil - difficult
dinero *m.* money
dirección *f.* address; direction; **dirección única** one way
distancia *f.* distance
doblar to turn
doble - double
dólar *m.* dollar
domingo *m.* Sunday
dónde where
dormir to sleep
dormitorio *m.* bedroom
duro -a hard

echar to throw; **echarse para atrás** to move back
edad *f.* age
edificio *m.* building
ejemplo *m.* example
ejercicio *m.* exercise
ejercitar to exercise
el *m.* the
él *m.* he; him, it; **ellos** *m.pl.* they; them
electricista *m.* electrician
eléctrico -a electric
elegancia *f.* elegance
elegante - elegant, fine
ella *f.* she; her, it; **ellas** *f.pl.* they; them
emocionado -a excited
empezar to begin
empleado *m.* **empleada** *f.* employee
en in; on; at
encaje *m.* lace
encima on, on top of
encargo *m.* request; errand
encontrar to find
enero January
enfermera *f.* nurse
enfermo -a sick, ill
enseñar to show
entender to understand
entonces then
entrada *f.* entrance; admission ticket
entrar en to enter
entre between; among
entregar to deliver, to give
enviar to send
equipo *m.* team
error *m.* error
escoger to choose
escaparate *m.* display window
escribir to write
escritorio *m.* desk
escuchar to listen to
escuela *f.* school
ese *m.*, **esa** *f.*, **eso** *neut.* that
esfuerzo *m.* effort
español Spanish (language); Spaniard
especial - special
espectador *m.*, **espectadora** *f.* spectator
esperar to wait
esposo *m.* husband; **esposa** *f.* wife
estación *f.* station
estacionar to park
estado *m.* state
Estados Unidos *m.pl.* United States
estampilla *f.* postage stamp
estancia *f.* stay
estar to be
este *m.* east
este *m.*, **esta** *f.*, **esto** *neut.* this
éste *m.*, **ésta** *f.* this, this one

estimado -a dear; esteemed
estrenar to use or wear something for the first time
estricto -a strict
estructura *f.* structure
estructural structural
estudiante *m. or f.* student
estudiar to study
estudio *m.* study
examinar to examine, to study
expresar to express
expresión *f.* expression
extranjero *m.* any foreign country
extranjero *m.* **extranjera** *f.* foreigner

fábrica *f.* factory
fácil easy
faltar to be lacking; to need
familia *f.* family
familiar informal, family style
famoso -a famous
favor *m.* favor; **por favor** please
favorito -a favorite
febrero February
femenino -a feminine
fecha *f.* date
ferrocarril *m.* railroad
fiesta *f.* party; holiday
Fiesta Brava *f.* bullfight
fin *m.* end
finalmente finally
fino -a fine, delicate; pure
flecha *f.* arrow
flor *f.* flower
florero *m.* flower pot
folleto *m.* pamphlet
forma *f.* form
formar to form
fósforo *m.* match
foto *f.* photo, photograph
fotográfico -a photographic
francés *m.* French
frase *f.* phrase
frecuencia *f.* frequency
frente *m.* front; **frente a** in front of; **enfrente** opposite, in front
frío -a cold
frito -a fried
fuera out, outside
fuerte strong
fuerza *f.* force; strength
fútbol *m.* soccer
fumador *m.* smoker

gabardina *f.* raincoat (trench coat)
gafas *f.pl.* glasses
ganado *m.* cattle, livestock
ganga *f.* bargain
garaje *m.* garage
gasolina *f.* gasoline
gemelo *m.* cuff-link
gente *f.* people
giro postal *m.* postal money order
gobierno *m.* government
gozar to enjoy
grabadora *f.* tape recorder
gracias thank you
gramatical grammatical
gran great
grande big, large
grato -a pleasant
gritar to shout, to cry out
grupo *m.* group
guardar to put away; to keep; **guardar cama** to stay in bed
Guatemala *f.* Guatemala
guía *f.* guide, directory
gustar to be pleased with (to like)

haber to have
habitación *f.* room
hablar to speak, to talk
hacer to do; to make
hacia toward, towards
hasta up to; until
hay there is, there are
hecho -a done; made
hermano *m.* brother; **hermana** *f.* sister
hijo *m.* child; son; **hija** *f.* daughter
hombre *m.* man
hora *f.* hour; time
hospedarse to lodge, to stay
hotel *m.* hotel
hoy today
huevo *m.* egg

igual equal, the same
idea *f.* idea
idioma *m.* language
igualdad *f.* equality
ilustración *f.* illustration
imperativo -a imperative
impersonal impersonal
impuesto *m.* tax, duty
indefinido -a indefinite
infinitivo *m.* infinitive
ingeniero *m.* engineer
Inglaterra *f.* England
inglés *m.* English
insistir en to insist on
inspector *m.*, **inspectora** *f.* inspector
instantáneo -a instantaneous

instituto *m.* institute
inteligente intelligent
intenso -a intense
intérprete *m. or f.* interpreter
interruptor *m.* switch
invierno *m.* winter
invitar to invite
ir a to go; **irse** to go away
izquierda *f.* left

joven *m. & f.* young person; young
juego *m.* set; game
jueves *m.* Thursday
jugar to play
jugo *m.* juice
julio July
junio June
junto -a beside
juntos -as together

kilómetro *m.* kilometer
kiosco *m.* newsstand

la *f.* **las** *f.pl.* the
la *f.* you, her, it; **las** *f.pl.* them, you
labor *f.* labor, work
lámpara *f.* lamp
lápiz (lápices) *m.* pencil
largo -a long
lavar to wash
le him, her, you; **les** *pl.* you, them
lección *f.* lesson
lectura *f.* reading
leche *f.* milk
leer to read
lengua *f.* tongue; language
lejos far, far away; **lejos de** far away from; **a lo lejos** in the distance
lentes *m.pl.* glasses
levantamiento *m.* elevation, upgrade
levantar to lift, to raise; **levantarse** to get up
libre free; vacant
libro *m.* book
licencia *f.* license
licor *m.* liquor
limpiar to clean
lo *m.* it, him, you; **los** *m.pl.* them, you
local local
los *m.pl.* the
luego then; later
lugar *m.* place
lunes *m.* Monday
luz (luces) *f.* light

llamada *f.* call
llamar to call; **llamarse** to be named, to be called
llave *f.* key
llavero *m.* key chain, key ring
llegar a to arrive
llenar to fill
lleno -a full
llevar to wear; to take; to carry; **llevar de la mano** to take by the hand
llover to rain

madre *f.* mother
maestro *m.*, **maestra** *f.* teacher
mal bad, badly
malo -a bad
maleta *f.* suitcase
maletín *m.* brief case
mandar to send; to order, to command
manecilla *f.* hand of a clock
mano *f.* hand
manzana *f.* apple
mañana *f.* morning; tomorrow; **por la mañana** in the morning; **pasado mañana** day after tomorrow
mapa *m.* map
maquinilla *f.* razor
marcar to mark, to designate; to dial a telephone
martes *m.* Tuesday
marzo *m.* March
más more, most; else
masculino -a masculine
mayo *m.* May
mayor larger; older, oldest
me me, myself
mecánico *m.* mechanic
media *f.* stocking
medicina *f.* medicine
médico *m.* doctor
medida *f.* measurement; **tomar la medida** to take measurements
medio -a half
medir to measure
Méjico *m.* Mexico
mejor better, best
menor smaller; younger, youngest
menos minus; less, fewer
mensajero *m.*, **mensajera** *f.* messenger
menú *m.* menu
mes *m.* month
mesa *f.* table
mi my
mí me
miedo *m.* fear
mientras while
miércoles *m.* Wednesday

minuto *m.* minute
mío -a mine
mismo -a same
mirar to look at
modelo *m.* model
moderno -a modern
mojar to moisten, to wet; **mojarse** to get wet
momento *m.* moment
moneda *f.* coin
monedero *m.* change purse
montaña *f.* mountain
montar en to get into
morado -a purple
mostrar to show
mover to move
mozo *m.* bellboy
mucho -a much, large in quantity
muchos -as many
mujer *f.* woman
multitud *f.* crowd
muñeca *f.* wrist
museo *m.* museum
música *f.* music
músico *m.* musician
muy very

nacer to be born
nación *f.* nation
nada nothing
nadar to swim
nadie no one
naranja *f.* orange (*fruit or color*)
necesario -a necessary
necesitar to need
negocios *m.pl.* business
negro -a black
neutro -a neuter
nevar to snow
ninguno -a none
niño child; little boy; **niña** little girl
nivel *m.* level
no no, not
noche *f.* night; **por la noche** at night
nombre *m.* name; noun
norte *m.* north
nos us; ourselves
nosotros *m.*, **nosotras** *f.* we; us
nota *f.* note
novio *m.* boyfriend, fiancé, groom; **novia** *f.* girlfriend, fiancée, bride
noviembre *m.* November
Nro. *m.* (*abb. of* **número**) number
nublado -a cloudy
nuestro -a our; ours
Nueva York New York
nuevo -a new; **de nuevo** again
número *m.* number
nunca never

o or
objeto *m.* object
obligar to oblige, to compel
octubre *m.* October
ocupado -a occupied, busy
oeste *m.* west
oficina *f.* office
ofrecer to offer
oído *m.* hearing, ear
oír to hear; to listen to
ojo *m.* eye
¡ole! bravo!
olvidar to forget
órden *f.* order; **a sus órdenes** at your service
ordenado -a orderly
os *pl.* you; yourselves
otoño *m.* fall, autumn
otra vez again
otro -a other, another

paciencia *f.* patience
padre *m.* father; **padres** *m.pl.* parents
pagar to pay
página *f.* page
país ٨country
palabra *f.* word
pan *m.* bread
panecillo *m.* roll
pantalones *m.pl.* pants, slacks
pañuelo *m.* handkerchief; scarf
papel *m.* paper; **papel timbrado** *m.* official document
paquete *m.* package
para for; in order to
paraguas *m.* umbrella
parar to stop
parecer to seem; **paracerse a** to look like
parecido -a similar; **bien parecido** good-looking
pared *f.* wall
pariente *m. or f.* relative
parque *m.* park
parte *f.* part; **en todas partes** everywhere
pasaporte *m.* passport
pasar to spend; to pass; **pasarle a** to be wrong with
pasatiempo *m.* passtime
pase *m.* movement made by a bull-fighter with his cape
pasear to walk, to stroll
pasillo *m.* hall
paso *m.* passage; **paso nivel** *m.* railroad crossing
pedir to ask for
peinar to comb hair

película *f.* movie
pelo *m.* hair
pelota *f.* ball
pensar to think; **pensar en** to think about; to plan
peor worse; worst
pequeño -a small
perfección *f.* perfection; **a la perfección** perfectly
perfecto -a perfect
periódico *m.* newspaper
periodismo *m.* journalism
periodista *m. or f.* journalist
permanente permanent
permiso *m.* permission; **con su permiso** excuse me
permitir to permit, to allow
pero but
persona *f.* person
personal personal
Perú *m.* Peru
peseta *f.* currency of Spain
peso *m.* currency of Mexico, Argentina, Colombia, Uruguay, Cuba and Dominican Republic
pie *m.* foot; **de pie** standing up; **ponerse de pie** to stand up
pieza *f.* piece
pintura *f.* painting
piscina *f.* swimming pool
piso *m.* floor, story
pizarrón *m.* blackboard
plano *m.* map of a city
plata *f.* silver
playa *f.* beach
plaza de toros *f.* bull ring
pluma *f.* fountain pen
poco -a small in amount, few; **poco a poco** little by little
poder to be able to (can or may); **se puede** it's possible
pollo *m.* chicken
policía *f.* police
poner to put; **ponerse** to put on; **ponerse a** to sent about doing
por for; by; through; per
porque because
posible possible
postal *f.* postcard
práctica *f.* practice
practicar to practice
preceder to precede, to go before
precio *m.* price
preferir to prefer
pregunta *f.* question
preguntar to ask (a question)
prendedor *m.* decorative pin
prender to turn on
preparar to prepare
presentar to show
presente *m.* present
prestar to lend
pretérito *m.* preterite
primavera *f.* spring
primeramente first of all; firstly
primero -a first; **a primeros de** at the beginning of
prisa *f.* speed, haste; **de prisa** quickly
probar to try; **probarse** to try on
problema *m.* problem
profesión *f.* profession, occupation
profesional - professional
profesor *m.* **profesora** *f.* teacher
progreso *m.* progress
prohibir to prohibit, to forbid
pronto early; soon
propina *f.* tip
público -a public
puerta *f.* door
puesto *m.* place
pulsera *f.* bracelet
pulso *m.* pulse
puntero *m.* pointer
punto *m.* point; period; **en punto** exactly (on the dot)

que that; than
qué what
qué tal how; how are you
quedar to be located; to remain
querer to want; **querer decir** to mean
quetzal *m.* currency of Guatemala
quién who, whom
quitar to take off
quizás perhaps

radio *f.* radio
rato *m.* short space of time
rebajar to reduce
receta *f.* prescription
recibir to receive
recoger to pick up
recuerdo *m.* souvenir
refresco *m.* soft drink
refrigerador *m.* refrigerator
regalar to give a present
regalo *m.* gift, present
regla *f.* ruler
regresar to return
regreso *m.* return
reloj *m.* clock, watch; **reloj de pulsera** *m.* wristwatch
repartir to divide
repetir to repeat
representar to represent; to mean
repujado -a carved; **cuero repujado** embossed leather

requerir to require
responsabilidad *f.* responsibility
restaurante *m.* restaurant
resumen *m.* summary
retrasarse en to delay
reunirse con to join, to get together with
revisar to check, to inspect
revista *f.* magazine
rincón *m.* corner
río *m.* river
rojo -a red
rollo *m.* roll (*of film*)
ropa *f.* clothing
rosa - pink
rostro *m.* face
rubio -a blond

sábado *m.* Saturday
saber to know, to know how
sacar to take out
saco *m.* sport jacket
sala *f.* living room
salida *f.* exit
salir de to leave, to go out
salón *m.* living room
saludo *m.* greeting; **saludos** *m.pl.* greetings, regards
sección *f.* section
secretaria *f.* secretary
seguir to continue; to follow; **en seguida** at once
según according to
sello *m.* stamp, seal
semana *f.* week
sencillo -a simple; single
sentado -a seated, sitting down
sentarse to sit down
señal *f.* sign
señor *m.* gentleman; Mr.
señora *f.* lady; Mrs.
señorita *f.* young lady; Miss
septiembre *m.* September
servicio *m.* service
servir to serve
sesión *f.* session; show, showing
si if
sí yes
siempre always
significar to mean
silla *f.* chair
simple simple
sin without
situarse to be located
sobre on; about
sociedad *f.* society
sofá *m.* sofa
sol *m.* sun
solamente only
solo -a alone
soltero *m.*, **soltera** *f.* single (unmarried)
sombrero *m.* hat
sombrilla *f.* parasol
sonar to ring
sonido *m.* sound
soñar to dream; **soñar con** to dream about
Sr. *m.* (*abb. of* **señor**) Mr.
Sres. *m.pl.* Messrs.; Mr. & Mrs.
Sra. *f.* (*abb. of* **señora**) Mrs.
Srta. *f.* (abb. of **señorita**) Miss
su his; her; your; their
subir to go up
substituir to substitute
subterráneo -a underground
suelo *m.* floor
suéter *m.* sweater
sufrir to suffer
suprimir to omit
supuesto *pp.* **suponer; por supuesto** of course
sur *m.* south
suyo -a his; hers; yours; theirs

tabaco *m.* tobacco
tal vez maybe, perhaps
también also
tampoco neither, either
tan so, as
tanque *m.* tank
tanto -a so much; **tantos -as** so many; **tanto ... como** as ... as
taquilla *f.* ticket office, box office
tardar to take time; to delay
tarde *f.* afternoon; late; **por la tarde** in the afternoon
tarifa *f.* fare
taxi *m.* taxi
taxista *m.* taxi driver
taza *f.* cup
te *fam.* you; yourself
teatro *m.* theater
techo *m.* ceiling
teléfono *m.* telephone
telegrafista *m. or f.* telegraph operator
telégrafo *m.* telegraph; **telégrafos** telegraph office
telegrama *m.* telegram
televisión *f.* television
temperatura *f.* temperature
temprano early
tener to have; **tener que** to have to
terminal *f.* terminal, station
terminar to finish
tesón *m.* firmness, tenacity
ti *fam.* you
tiempo *m.* time; weather; tense (of verbs); **a tiempo** on time

tienda *f.* store
típico -a typical
tirar to throw
tiza *f.* chalk
todavía still
todo -a all, the whole; every
tomar to take; to eat; to drink
torear to fight a bull
torero *m.* bull-fighter
toro *m.* bull
tostada *f.* slice of toast
trabajar to work
trabajo *m.* work, job
traer to bring
traje *m.* suit; outfit, dress; **traje de luces** *m.* suit worn by bull fighters
transistor *m.* transistor (radio)
tras after
tren *m.* train; **tren subterráneo** *m.* subway
triste sad
tu *fam.* your
tú *fam.* you
turista *m. or f.* tourist
tuyo -a *fam.* yours

Ud. (*abb. of* **usted**) you
último -a last
un *m.* a, an **una** *f.* a, an, one
único -a only
unir to join; **unirse** to join together
universidad *f.* university
uno *m.* one
unos -as some
Uruguay *m.* Uruguay
usar to use
usted you (*usually abb.* **Ud.**)
ustedes *pl.* you (*usually abb.* **Uds.**)
útil useful

vacación *f.* holiday; **de vacaciones** on vacation
valor *m.* courage
vals *m.* waltz
varios -as several
velocidad *f.* speed
Venezuela *f.* Venezuela
venir a to come
venta *f.* sale
ventana *f.* window
ver to see, to watch
verano *m.* summer
verdad *f.* truth
verde green
vestido *m.* dress; **vestido pantalón** *m.* culottes, pants suit
vestir to dress; to wear; **vestirse** to get dressed
vez (veces) *f.* time; **a la vez** at the same time
viajar to travel
viaje *m.* trip
viajero *m.*, **viajera** *f.* traveler
viento *m.* wind
viernes *m.* Friday
virar to turn; **virar en U** to make a U turn
visitar to visit
visto -a seen
vitrina *f.* display window
vivir to live
vocabulario *m.* vocabulary
volver a to return, to go back
vosotros -as *fam. pl.* you
vuestro -a *fam. pl.* your; yours
vuelta *f.* turn; **dar una vuelta** to take a walk or a ride

y and
ya already; yet; **ya no** no longer
yo I

zapato *m.* shoe
zona *f.* zone

CARDINAL NUMBERS

uno one
dos two
tres three
cuatro four
cinco five
seis six
siete seven
ocho eight
nueve nine
diez ten
once eleven
doce twelve
trece thirteen
catorce fourteen
quince fifteen
dieciséis sixteen
diecisiete seventeen
dieciocho eighteen
diecinueve nineteen
veinte twenty
treinta thirty
cuarenta forty
cincuenta fifty
sesenta sixty

setenta seventy
ochenta eighty
noventa ninety
cien one hundred
doscientos two hundred
trescientos three hundred
cuatrocientos four hundred
quinientos five hundred
seiscientos six hundred
setecientos seven hundred
ochocientos eight hundred
novecientos nine hundred
mil one thousand

ORDINAL NUMBERS

primero - a first
segundo -a second
tercero -a third
cuarto -a fourth
quinto -a fifth
sexto -a sixth
séptimo -a seventh
octavo -a eighth
noveno -a ninth
décimo -a tenth